Dwi ddim yn meddwl ga i fynd yn
agos at sgwennu llyfr arall, felly dwi am
wneud y darn yma'n iawn!

Diolch o galon i:

Gwenllian am fod yn Wonderwoman ac yn gefn;

Mam am gael *carpet burn* ar ei thalcan
yn trio neud *breakdance* yn 60 oed;

Dad am fynd â fi i nofio am 6 y bora;

Gwen am ysbrydoli tri brawd bach i drio chwara
rygbi fatha hi (ond heb y wynab coch);

Aled am fod yn boen yn tin a byth â stopio yn *Manhunt*;

Rhys am gerdded yn ei dryncs a fflipers fatha Mick Jagger;

Huw Erddyn, Nev, Dygs, Llion a phawb yn Cwmni Da
am gael ffydd (a mynadd!);

Tomos y Tanc am gael syniada mawr gwirion;

Anti Margaret am chwara piano fatha Annette;

Bret and Mark for peeling a piss-soaked
fur-ball out of a kayak;

Twm am ddarllen drwy'r *dyslexic drivel*;

Trevor for being conceived in Trefor
(and for having tiny calves);

Dewi am y La Sportivas gath fi i dop Mont Blanc;

Gwgs am y caib;

Y Bartneriaeth Awyr Agored
am gael fi i fewn i'r mynyddoedd;

Salomon a Suunto am y cit gora erioed;

EDZ am y trôns Merino mega fflwffi;

Jones am gael gwallt uffernol yn 3rd Form;

Mark Cavendish a Liam Williams am fod yn arwyr!

A Meinir, Lefi a phawb yn y Lolfa am fod yn ddigon gwirion
i ofyn i fi sgwennu llyfr! :)

Herio i'r Eithaf

Huw Jack Brassington

CYNGOR LLYFRAU CYMRU

ISBN: 978 1 78461 838 4
Argraffiad cyntaf: 2020

Mae'r prosiect Stori Sydyn/Quick Reads yng Nghymru
yn cael ei gydlynu gan Gyngor Llyfrau Cymru
a'i gefnogi gan Lywodraeth Cymru.

Argraffwyd a chyhoeddwyd gan
Y Lolfa, Talybont, Ceredigion SY24 5HE
gwefan www.ylolfa.com
e-bost ylolfa@ylolfa.com
ffôn 01970 832 304
ffacs 832782

Cynnwys

Yr hen ddyn yn y gadair siglo

MAE'R BLYNYDDOEDD YN MYND heibio fel mae'r dail yn disgyn o'r coed ac mae bywyd yn rhy fyr i beidio. Dyma ydi'r ddadl sydd fel arfer yn mynd trwy fy mhen twp i jyst cyn i mi wneud rhywbeth gwirion.

Pan fydda i'n 80 mlwydd oed ac yn eistedd yn fy nghadair siglo yn yfed wisgi neu'n gweu – neu beth bynnag mae hen fois yn gwneud! – dwi isio bod yn eistedd yn fy nghadair yn llonydd fy meddwl, heb gwestiynau'n hongian drosta i. Allwn i fod wedi rhedeg marathon? Allwn i fod wedi rhedeg pump marathon ar ôl ei gilydd?! Allwn i fod wedi dringo Mont Blanc? Allwn i fod wedi sgwennu llyfr heb i *spell-check* chwythu i fyny?

Dwi isio atebion cyn iddi fynd yn rhy hwyr. Mae peidio llwyddo yn hollol iawn – mae methiant yn iach ac yn hanfodol er mwyn tyfu. Mae methiant yn rhoi ateb cyflawn a phwyntiau i wella, lle mae gadael cwestiwn i hongian heb ei ateb yn cnoi ar enaid rhywun am byth.

Felly be dwi'n gwneud pan dwi'n ystyried gwneud rhywbeth lloerig? Wel, mynd i ofyn i'r hen fi yn y gadair siglo. Heb os nac oni bai, yr un ateb sy'n dod yn ôl: 'Iddi'n galad a gwna fo'r munud yma! Mae'r cloc yn tician.' Gyda llaw, mae'r hen foi wedi colli ei farblis yn llwyr!

1

Trio tyfu i fyny

RO'N I'N EISTEDD AR fainc mewn cae oer yn dal fy nhrwyn gwaedlyd at y nefoedd wrth drio gwylio'r gêm. Treialon rygbi Gogledd Cymru oedd o 'mlaen i, ond o'n i wedi cael cic yn fy wyneb yn y munud cyntaf ac wedi gorfod gadael y cae. Trwy lygaid coch dyfrllyd, doedd dim ar ôl i'w wneud ond gwylio fy nghyfle yn diflannu. Roedd hyn yn brifo i'r byw, poen creulon.

Mi ddechreuais i chwarae rygbi yn naw oed pan o'n i yn Ysgol Felinwnda, jyst y tu allan i Gaernarfon. A dwi wedi bod wrth fy modd hefo'r gêm ers hynny – fel mul sydd wedi rhoi ei fryd ar ennill y Grand National! Mae'n bosib mai fi oedd y blaenasgellwr lleiaf yn y byd. Ro'n i'n 16 oed bellach ond yn edrych yn 13 ac roedd fy mrawd bach newydd droi'n frawd mawr o ran ei faint.

Er hynny, ro'n i'n gwrthod derbyn ar y pryd 'mod i mewn cariad hefo'r gêm anghywir.

Ro'n i wedi hen arfer hefo cael trwyn gwaedlyd, clustiau wedi eu rhwygo a phob math o anafiadau eraill. Mae o'n rhan o'r gêm, yn enwedig os wyt ti hanner seis gweddill yr eirth blewog ar y cae. Mi ddysgi di'n reit sydyn sut i ddygymod ag ambell gnoc a chodwm – bydd rhaid iti! Dim problem. Ro'n i'n taflu fy hun i mewn i bob dim ar y cae hefo pob gronyn o egni. Mewn gêm sy'n gwobrwyo maint, nerth a chyflymder, yr unig obaith oedd gen i o ddal fy nhir oedd rhoi fy nghalon a'n enaid i mewn iddi bob tro. Er fy mod i'n ymarfer gymaint ag y gallwn yn y gampfa ac yn yfed llefrith fel llo bach, y pethau eraill – y pethau anweladwy – oedd yr arfau pwysicaf i mi ar gyfer rhoi rhywbeth yn ôl i'r tîm.

Do'n i byth yn stopio. Penderfyniad ydi stopio, ac ro'n i wedi arwyddo cytundeb hefo fi fy hun mai dyma sut ro'n i am gwffio'n ôl. Os oedd gen i rywfaint o reolaeth dros unrhyw beth, ro'n i am roi fy oll iddo. Fel y dywedodd ambell wrthwynebwr wrtha i, ro'n i 'rêl bajar bach' – yn ymfalchïo mewn bod yn boen-yn-tin oedd ddim yn stopio tan y chwiban olaf... ac weithiau yn rhoi bys-yn-clust os doedd y dyfarnwr ddim yn sbio. Ro'n i wastad yn gadael pob gronyn o egni ar y cae, yn ogystal ag ambell ffeit y byddwn i wedi ei dechrau ond ddim wedi medru ei gorffen. Ond dyma pam wnaeth Duw ddyfeisio Paul Mawr, Billy Bom a Beales Pen Torth – y cewri oedd o fy nghwmpas i, ac yn dŵad i'm hachub i os o'n i wedi mynd i ormod o drwbwl!

Un o'r gwersi gorau ddysgais i wrth chwarae rygbi oedd pwysigrwydd gweithio fel tîm. Mae gan bawb ei le, pawb ei swydd, ac mae pawb yno i helpu ei gilydd. Hefo mwy o ysgwyddau i gymryd y baich mi fydd tasg anodd yn dod yn haws. A bydd rhwystrau yn diflannu hefo cyfeillgarwch ac ychydig o herian ysgafn, fel am ffrinj Karl Llygada Llefrith, yr asgellwr dychrynllyd o sydyn nad oedd yn deall pwrpas Brylcreem o gwbl! Dwi'n cofio rhai o'r hogiau'n sbio'n rhyfedd arna i ar ddiwedd gêm pan oedden ni'n colli o hanner can pwynt, a finna'n dal i fynnu sbrintio at giciwr y tîm arall i drio rhwystro'r trosiad fel petai fy mywyd yn dibynnu ar y canlyniad. Dyma oedd fy nghyfraniad i i'r tîm.

Penderfyniad, hefyd, ydi ymarfer, a dyna ro'n i'n ei wneud hefo pob eiliad sbâr oedd gen i. Roedd yna gylch fel *bulls-eye* ar ganol un o walia tŷ ni, lle ro'n i wedi taflu pêl tan i'r plastar ddisgyn. Roedd fy rhieni'n dda iawn am roi i fyny hefo pethau fel hyn, yn annog yn lle dwrdio. Ond pan ddechreuais i droi'r cylch bach yn dwll fel crater, roedd rhaid i Dad fy symud i 'mlaen at ddarn arall o'r wal – cyn i'r bêl fynd trwy'r wal ac i mewn i'r stafell fyw!

Ro'n i'n dechrau teimlo bod yr holl ymarfer yn gweithio. Ro'n i'n dal heb dyfu ond mi wnaeth blynyddoedd o ddal ati, o godi o'r llawr pan oedd fy nghorff yn sgrechian arna i i aros lawr, ddechrau dangos ar ffurf ffitrwydd a gwydnwch. Ro'n i wedi ennill lle yn nhîm rygbi Caernarfon, yn nhîm y sir ac wedyn yn nhîm gogledd-orllewin Cymru. A dyna sut ffeindiais i fy hun yn nhreialon Gogledd Cymru. Ond hefo pob dyrchafiad, roedd y gwahaniaeth maint yn mynd yn fwy amlwg – hyd at y pwynt lle roedd *line-up* tîm gogledd-orllewin Cymru yn eitha doniol. Pe bai camera teledu yno, mi fuasai'n gorfod panio i lawr cryn dipyn i fedru fy ffeindio i yn y rhes!

Roedd yr holl amser a'r egni ro'n i wedi ei aberthu dros y blynyddoedd yn gwneud y foment yma, yn eistedd ar y fainc yn gwylio'r treialon o 'mlaen i, yn boenus iawn. Er hynny, doedd hi ddim yn ddiwedd y byd. Ro'n i'n benderfynol o godi pen ac ailgydio ynddi.

Ysgol

Mae'r geiriau, "Huw, chei di ddim gwneud hyn," neu "Mae hynny'n amhosib i chdi, Huw bach," wastad wedi cael yr effaith groes arna i. Mae rheolau yn rhyw fath o her i mi – roedden nhw yna i'w torri, neu i'w haddasu o leia. Bron i hyn bacffeirio arna i mewn steil pan o'n i'n ddeg oed. Ro'n i yn Alton Towers ac wrth fy modd hefo'r *roller coasters*, yn enwedig Nemesis – yr un mwyaf brawychus ohonyn nhw i gyd. Ond trychineb! Mi o'n i ryw ddwy fodfedd yn rhy fyr i fynd ar y reid! Felly mi stwffiais i ddwy belen o sanau rygbi i mewn i'm sgidiau o dan sawdl fy nhroed, i greu rhyw fath o *high-*

heels cudd. Wnaeth gwir bwrpas y rheolau ddim croesi fy meddwl a dyna hwyl ges i, yn bownsio o gwmpas y sêt, bron â llithro oddi arni sawl gwaith, ond roedd gen i ffydd yng nghryfder fy mreichiau. Ro'n i'n methu deall pam doedd y plant bach eraill ddim yn gwneud yr un peth.

Yn 11 mlwydd oed, mi ges i brawf dyslecsia a chael gwybod bod gen i oed darllen plentyn chwech oed. Yn Ysgol Syr Hugh Owen, ro'n i wrth fy modd hefo celf ac unrhyw waith ymarferol, ac yn deall gwyddoniaeth a mathemateg heb drwbwl. Ond roedd sillafu a darllen yn anodd iawn. Ddarllenais i ddim un llyfr cyfan tan o'n i'n bymtheg. Dwi'n grediniol na fyswn i wedi pasio TGAU Cymraeg a Saesneg heb Mam ac mae gen i ddiolch mawr iddi am hynny. Mi wnaeth hi eistedd wrth fwrdd y gegin a darllen *Cysgod y Cryman* air am air i fi – rhywbeth 'swn i'n bendant heb ei wneud ar ben fy hun.

Flynyddoedd wedyn, dwi'n dechrau deall faint y gwnaeth hi aberthu i wneud hyn. Mi basiais fy arholiadau i gyd, hyd yn oed Saesneg a Chymraeg. Ac er 'mod i'n disgwyl D neu E, ges i B ac C! Ond yn bwysicach na hynny, sylwais fod y meddylfryd hwnnw oedd wedi fy helpu ar y cae rygbi yn wir am fywyd bob dydd hefyd. Trwy beidio rhoi'r gorau iddi, ymarfer yn galed a pheidio gwrando ar bobol sy'n dweud fod rhywbeth yn amhosib, mi allwch chi gyflawni unrhyw beth. Ac eniwe, sut mae gwybod os ydi rhywbeth yn amhosib heb roi cynnig go iawn arni?

Ar ôl hyn, dechreuais ymarfer fy narllen fel o'n i wedi bod yn ymarfer fy nghorff. Bellach, dwi'n cnoi trwy lyfrau a dyma fi – yn cyhoeddi un! Dwi'n dal bron â chwythu *spell-check* i fyny yn y broses ac yn gweld y stêm yn codi wrth i fi deipio'r geiriau yma, ond dwi'n benderfynol o drio ac mae hyn yn rhywbeth fyswn i byth wedi meddwl y byddai gen i'r hyder i'w wneud.

Mi es i i'r chweched dosbarth i astudio Lefel A mewn Ffiseg, Maths a Chemeg, eto gan ddisgwyl y graddau DEE. Ond mi wnes i adael hefo AAB ac un o'r marciau uchaf yng Nghymru yn y papur Ffiseg. Y cam nesaf, a thrwy ddyfal donc, oedd llwyddo i gael lle yng Nghaerfaddon i astudio Peirianneg Aeronotig.

Pan o'n i yng Nghaerfaddon yn astudio mi wnes i ddal ati i chwarae rygbi i Gaernarfon. Roedd hyn yn golygu cryn dipyn o deithio ond ni oedd y tîm cyntaf o'r gogledd i gyrraedd Uwch-gynghrair Ieuenctid Cymru ac roedd hyn yn werth y pump awr mewn trên. Roedd timau Caernarfon, Bethesda a Bangor wedi cyfuno ac yn teithio i lawr i chwarae yn erbyn timau mawr y de – Cross Keys, Merthyr Tudful a Chaerfyrddin i enwi rhai. Efallai mai dyma wnaeth blannu'r hadyn ar gyfer clwb RGC (Rygbi Gogledd Cymru). Beth bynnag oedd o, roedd o'n gyfle rhy dda i'w wrthod a byddai derbyn ei fod o'n rhy bell yn gyfystyr â rhoi'r gorau iddi.

Yn y gêm gyntaf oddi cartref yn Cross Keys, ro'n i'n dechrau amau fy mhenderfyniad. Cynghrair dan 21 oed oedd hwn i fod, ond roedd y monstars oedd yn ein wynebu ni i gyd yn edrych yn o leiaf 30 ac wedi cael rownd bapur galed. Yn anffodus i ni roedden nhw'n chwarae rygbi fel'na hefyd. Dros y flwyddyn mi wnaethon ni golli pob gêm o tua 60 pwynt. Ond wnes i dal ddim stopio sbrintio i drio rhwystro'r trosiadau.

2

Mont Blanc

YN FY UGEINIAU CYNNAR, mi ges i anaf i 'mhenglin mewn gêm ddiwedd tymor. Gymaint ag o'n i wrth fy modd hefo rygbi, ro'n i'n dechrau sylwi faint roedd y gêm yn gofyn i rywun ei aberthu. Mae effaith gêm galed yn medru dy adael di'n chwalfa am wythnos, heb sôn am yr anafiadau, yr holl ymarfer a'r cymdeithasu, a doedd dim llawer o amser i ddim byd arall. Ro'n i wedi dechrau derbyn nad o'n i am fynd llawer pellach, er fy mod i wedi tyfu ryw ychydig ac wedi gweld synnwyr a symud i safle'r mewnwr. Ond roedd bod yn y brifysgol wedi agor fy llygaid i'r holl chwaraeon a champau eraill oedd allan yna, pethau fyswn i'n medru llenwi'r bwlch siâp pêl rygbi hefo nhw. Mae o yn fy natur i fod isio trio bob dim, felly yn 22 oed mi wnes i'r penderfyniad anodd i stopio chwarae rygbi llawn-amser. Roedd hynny fel trio dod oddi ar gyffur, mae'n debyg, ac roedd hi'n anodd iawn peidio mynd 'nôl. Ond bob tro ro'n i'n camu ar gae rygbi wedyn, roedd yr anafiadau'n hitio, yn waeth os rhywbeth gan fy mod i heb ymarfer. Ro'n i ar goll.

Doedd gen i ddim byd arall i'w wneud ond darllen am anturiaethau pobol eraill. Mi wnaeth un o'r llyfrau yma gael effaith hynod arna i. Llyfr am ras anhygoel oedd wedi bod yn mynd ers dros gan mlynedd. Ras i'r athletwyr mwyaf ffit yn y byd, ras lawn perygl, maffias, marwolaeth a chyffuriau – y Tour de France. Does dim byd tebyg iddi. Roedd hi'n anodd coelio'r straeon ro'n i'n eu darllen am seiclwyr yn gwneud pethau anghredadwy. Roedd rhaid gweld hyn hefo fy llygaid fy hun. Felly, mi wnes i berswadio criw o ffrindiau i hedfan draw i Ffrainc i wylio'r ras. Mi gawson ni bythefnos anhygoel yn hamro *croissants* a seiclo dros gopaon enwocaf y Pyrenees. Roedd hyn yn agoriad llygad i mi a doedd gen i ddim awydd mynd adra. Felly, wnes i ddim!

Yn lle hedfan adra hefo'r gweddill, dyma fi a French Dave (ffrind o'r brifysgol) yn teithio i gyfeiriad yr Alpau i gyfarfod fy nghefnder, Tomos y Tanc. Roedd o wedi clywed fy mod i draw yn Ffrainc ac yn awyddus imi ymuno hefo fo a'i ffrindiau. Ar y ffôn ychydig ddyddiau ynghynt, mi ddywedodd o rywbeth am ryw fynydd roedd o isio ei ddringo. "Cofia ddŵad â chaib!" oedd ei eiriau olaf. Felly, i ffwrdd â ni am *road trip* i'r Alpau yn Fiat Panda bach French Dave, oedd yn gwegian dan bwysau'r holl bebyll, ceibiau a chramponau. I ddweud y gwir, doedden ni ddim yn gwybod sut i ddefnyddio'r un ohonyn nhw.

Roedd gweld Mont Blanc am y tro cyntaf fel cyfuniad o gorwynt rhewllyd a chael dymptacl gan Scott Gibbs. Mae o'n forfil o fynydd, yn drwsgl ond eto'n urddasol, wedi ei lapio mewn blanced ddisglair o hanes mynydda caled. Ac i mi, ar y bore hafaidd perffaith glir hwnnw yn Chamonix, yn edrych i fyny arno o waelod y dyffryn, roedd o'n fyd gwahanol. Fysa waeth i fi fod yn syllu ar y lleuad!

I'r Alpinist profiadol – gyda cheilliau mawr dur ac *antifreeze* yn y gwaed – mae'n debyg mai pwtyn o fynydd ydi hwn. Yn bendant dydi o ddim y mynydd mwyaf brawychus erioed, does ganddo mo'r creigiau miniog

sydd yn sgrechian "Perygl!" neu "Dringwch fi
a bydd eich llun proffil Facebook yn *badass*!"
Gydag uchder o 4,810 metr dydi o ddim hyd
yn oed yr uchaf yn Ewrop, gan fod y dihiryn
Mount Elbrus (5,642 metr) wedi dod draw o
Rwsia i falu'r holl 'hawliau bragio' yn llwch
eira.

Ond yn bendant mae gan Mont Blanc
rywbeth arbennig. Dwi ddim isio dweud "Je
ne sais quoi" oherwydd dwi'n trio peidio â
bod yn *bell-end* a do'n i ddim yn medru ei
sillafu, hyd yn oed hefo *spell-check*. Fel cael
pelen eira yn y glust, ges i deimlad iasol,
arswydus wrth sbio ar y copa. Y teimlad o
fod isio bod ar y copa yn sbio i lawr. Roedd
o hefyd yn deimlad tebyg i bigo ffeit hefo
rhyw wythwr anferth ar gae rygbi – roedd
o'n gawr oedd yn codi drosta i fel arth o
Svalbard, ac roedd y Small Man Syndrome
yn trosglwyddo o rygbi i fynydda yn reit
handi!

Ond nid dyna pam roedden ni yn
Chamonix – doedden ni ddim mor wirion â
hynny (dadleuol, dwi'n gwybod!). Lle gwell
i griw amhrofiadol fel ni ddechrau oedd yr
Haute Route o Zermatt i Chamonix. Llwybr

uchel, gweddol hawdd, sy'n cymryd tua phythefnos i'w gwblhau.

Roedd pump ohonon ni: Tomos, neu Tomos y Tanc, fel mae'i ffrindiau yn ei alw, cawr o foi a chwip o chwaraewr rygbi a thriathletwr yn ei ddydd. Hyd yn oed pan oedd o'n ymarfer ar gyfer ei Iron Man cyntaf ac mor agos at weiran gaws â fydd o fyth, roedd o'n dal yn bymtheg stôn. Ei syniad o oedd hyn, felly ges i dipyn o sioc pan welais i o'n camu oddi ar y trên yn edrych rhyw dair stôn yn drymach na'r tro diwethaf i fi'i weld o. Roedd yr arth chwyslyd oedd o 'mlaen i'n braf dros ugain stôn! Hefo'i fag anferthol ar ei gefn, roedd o'n edrych fel pedwar person yn brasgamu i lawr y platfform tuag ata i, ac ymwelwyr Tsieineaidd yn sgrialu o'i flaen fel adar dan draed eliffant ar y Serengeti! Efallai fod Tomos yn jiglo ychydig yn fwy nag arfer, ond ro'n i'n ei nabod ers blynyddoedd ac yn gyfarwydd hefo'r injan ddi-baid oedd yn cuddio dan yr wyneb. Dim byd i boeni amdano fan'na!

Ond ro'n i'n cyfarfod ei ddau ffrind o'r brifysgol am y tro cyntaf, Andy a Peter (neu Worm fel roedden ni'n ei alw o. Hyd heddiw does gen i ddim clem o lle ddaeth y llysenw yma – a dwi ddim yn meddwl 'mod i isio gwybod chwaith!). Roedd Andy yn seiclwr lled broffesiynol, dyn ffit iawn oedd yn debycach i geffyl rasio na cherddwr. Ond ro'n i'n methu peidio â meddwl sut fyddai rhywun gyda 2% o fraster corff, a choesau wedi'u siafio, yn dygymod hefo'r tywydd brwnt oedd i ddod. Roedd rhai o gopaon yr Haute Route yn agos i 3,000m o uchder. Roedd Worm yn debycach i selsigen – stocyn moel, gyda lot gormod o flew ar ei gefn. Ond roedd o mor ffit â chi hela, ac roedd o'n esiampl dda o pam ddylsech chi fyth gymryd selsigen flewog yn ysgafn. A French Dave – pêl-droediwr o fri, ffit ac ysgafn a hollol hanfodol wrth i ni gamu i fewn i *boulangerie*. Yn olaf, fi – chwaraewr rygbi wedi ei anafu, yn chwilio am rywbeth i lenwi'r twll o golli rygbi, ac yn awyddus i ddarganfod oedd dyslecsia yn cael ei drosglwyddo i ddarllen map.

Ar ôl i bawb gyflwyno ei gilydd, dyma ni'n dal y trên i Zermatt. Roedden ni'n barod am bythefnos o gerdded a gwersylla'n wyllt trwy ucheldir y Swistir. Ro'n i'n teimlo'n rêl boi yn brasgamu i fyny'r llwybr cyntaf, yng nghysgod y Matterhorn. Yn fy mhen roedden ni fel cyfuniad o'r A-team ac Indiana Jones, yn barod i goncro'r Alpau a be bynnag arall ddeuai heibio.

Roedd gwirionedd y sefyllfa yn dipyn gwahanol – roedden ni'n fwy fel criw o dramps blêr yn gwthio trolis Tesco i fyny allt. Roedd pob un ohonon ni wedi ein llwytho fel carafán sipsi, ond heb y ceffylau! Roedd ein bagiau 90 litr yn orlawn, yn cario'n braf dros 30kg, hefo potiau cwcio a cheibiau rhew yn hongian ble bynnag roedd yna le i'w clymu. Roedden ni mor swnllyd fel ein bod yn boddi sŵn rhamantus clychau buchod y Swistir. Ro'n i hyd yn oed wedi pacio dau lyfr anferth, twb o Protein Shake a phinafal cyfan!

Roedd cerddwyr twt a phrofiadol y Swistir yn cael sioc ar eu tinau o'n gweld ni'n baglu tuag atyn nhw – wedi ein clywed yn dod oriau cyn ein gweld ac yn disgwyl gyr o wartheg. Yn lle hyn, roedden nhw'n gweld pump cardotyn drewllyd yn gwenu o glust i glust.

Mi gawson ni dridiau cyntaf gwych!

Golygfeydd a bywyd gwyllt anhygoel, ond hefo pob cam roedden ni'n cael sylwebaeth fyw ar stad gafl (*gooch*) Worm. Roedd o'n gorfoleddu ei fod o wedi dod â thwb mawr o bowdr talc hefo fo, pan oedd pawb arall yn cwyno am sanau gwlyb a *nappy rash*. Ar ôl dwy noson mewn pebyll bach rhad, roedd pawb yn barod i fanteisio ar fuddion y talc. Pan oedden ni'n glanio ar ein seti mewn caffi, roedd fel petai llosgfynydd ffiaidd yn chwythu, gyda chwmwl o flawd trôns yn saethu i'r awyr ac yn lledaenu dros y grŵp mewn niwl trwchus.

Yn anffodus, wnaeth yr hwyl ddim para. Erbyn diwedd y pedwerydd diwrnod roedden ni'n ôl yn Chamonix. Roedd dau o'r criw wedi cael swigod drwg ar eu traed ac yn methu parhau. A dyna sut y bu i ni ffeindio'n hunain mewn tafarn wrth droed Mont Blanc, wedi methu'n llwyr, yn syllu i fyny ar ei lethrau disglair.

"Anyone can climb Mont Blanc if zee vvezzzerrr is good," meddai rhyw hen Ffrancwr wrth ein hymyl.

Roedd y profiad wedi ei gerfio i mewn i'w wyneb o. Roedd o'n edrych fel cyfuniad o afr fynydd a *croissant* oedd wedi bod yn y popty'n rhy hir. Dyma fi a Tomos yn sbio ar ein gilydd, ac wedyn edrych i fyny. Awyr las bur. Ar hyn, dyma Tomos y Tanc yn estyn y llyfr *Mont Blanc 4,810m* o'i fag, hefo gwên ar ei wyneb. Roedd o wastad yn un am gael syniadau mawr gwirion ac roedd o wedi crybwyll y syniad o ddringo Mont Blanc ychydig cyn gadael, ond wnes i ddim gwrando rhyw lawer, gan feddwl mai breuddwyd gwrach oedd o.

Gofynnais gwestiwn syml i mi fy hun: ydw i am gael y cyfle i wneud hyn eto? Mi ddes i i'r casgliad sydyn fod yr ateb i bethau fel'ma wastad yr un peth – pwy a ŵyr? Ond mae tywydd sefydlog, clir dros Mont Blanc yn beth prin. Roedd y cyfle reit o'n blaenau ni, ac yn rhy dda i'w wrthod. Doedd dim ond un peth amdani – prynu map, llogi helmet, tiwtorial YouTube i helpu i glymu rhaff a ffwrdd â ni!

Bedwar diwrnod yn ddiweddarach, roedden ni'n *chest*-slamio fel gorilas Gore-Tex mewn cramponau ar y copa, 4,810m i fyny ar dop Ewrop. Ceibiau rhew yn fflapio ym mhob man, a rhaffau rownd ein traed. O feddwl yn ôl, mae o fel clip o raglen deledu *999: What's Your Emergency?*: "What started out as an enjoyable walk with friends soon took a turn for the worse." Ond er gwaethaf ein diffyg profiad roedden ni'n ofalus ac yn deall y peryg. Y peth gwaethaf ddigwyddodd oedd French Dave yn chwydu ei *pain au chocolat* dros ei sgidiau ar y copa. A'r rheiny wedi cael eu llogi!

Roedd gan Andy hen ddigon o ddillad i wneud iawn am y diffyg blew ar ei goesau; ac ar ôl poeni ychydig bod Tomos yn rhy drwm, pwy aeth heibio i fi yn canu 'Sosban Fach' ryw 200m o'r copa, ond Tomos y Tanc, nid yn unig yn llusgo ei garcas swmpus ei hun i fyny ond hefo Worm ac Andy yn glwm wrth raff y tu ôl iddo! Ro'n i bron â gofyn am ji-bac hefyd!

Mae'n cymryd tri neu bedwar diwrnod i gyrraedd y copa ac mae gofyn i chi aros dros nos ar y ffordd i fyny mewn o leiaf dau le – cytiau Tête Rousse a Goûter. Gan ein bod ni mond newydd benderfynu rhoi cynnig arni roedden ni'n gorfod crafu am le i gysgu yn y cytiau. Un noson ro'n i'n rhannu bwrdd gegin, a chysgu pen-wrth-droed hefo mêt mynydd newydd o Japan. Roedd y diawl yn chwyrnu fel twrch daear hefo annwyd. Rhwng hyn a drewdod fy sanau fi'n hun doedd dim llawer o gwsg.

Doedd ganddon ni ddim pres i dalu rhywun i'n tywys ni i'r copa. A hyd yn oed hefo pres fysan ni ddim wedi cael neb. Yn ein llygaid ifanc, gwirion ni, fysa hyn yn lleihau'r gamp ryw ychydig, yn tynnu'r copa ambell droedfedd yn is i lawr. Felly nid yn unig roedd y llethrau dringo yn serth ond roedden nhw hefyd yn llethrau dysgu. Ac nid yn unig ddysgu yn sydyn am fynydda, ond hefyd sut i wneud y mwyaf o fywyd.

Roedden ni wrth ein boddau. Pawb yn wên o glust i glust gyda phelydrau'r wawr yn lliwio'r criw mewn golau oren cynnes a'r thermometr yn dangos bod y tymheredd yn -10! Yno, wrth syllu i lawr o do Ewrop gyda diwrnod perffaith glir yn gwawrio, ges i dröedigaeth – mi wawriodd arna i bod unrhyw beth yn bosib... yn enwedig gyda YouTube i'ch dysgu sut i glymu eich cramponau ar eich traed!

Wythnos y Glas

Yn Wythnos y Glas ar ddechrau'r flwyddyn olaf yn y brifysgol es i i'r ffair ymarfer corff am y tro cyntaf. Ro'n i'n cerdded rownd fel plentyn mewn siop fferins. Roedd y posibiliadau yn ddi-ben-draw. Mi wnes i adael y ffair hefo llond bag o sothach am ddim a digon o daflenni i ddechrau coelcerth. Ac ro'n i'n aelod newydd, balch o dîm *lacrosse*, cic-bocsio, triathlon a phêl-foli'r brifysgol!

Be wnes i ffeindio oedd bod dylanwad rygbi ar fy nghorff a'm meddwl yn fy ngalluogi i ddysgu pethau yn reit handi. Ro'n i'n dechrau i'r tîm cyntaf *lacrosse* o fewn dim, ond ro'n i'n methu helpu ei gymharu hefo rygbi – ond ar gyfer pobol oedd isio gwisgo arfwisg. Wnaeth o ddim para. Ro'n i'n cael hwyl ar y cic-bocsio ac yn mwynhau'r ochor gorfforol. Roedd o'n bendant yn fy nghadw i'n heini ac yn cael gwared â'r cythraul yndda i ond do'n i ddim yn licio ochor unigol y gamp. Petai 'na opsiwn o *gang fight* 'swn i wedi bod lot hapusach! Wnaeth hyn ddim para mwy na blwyddyn. Ac es i i ddim un sesiwn pêl-foli! Roedd triathlon, ar y llaw arall, yn fater gwahanol.

3

Eric the Eel

Medi 2011: Beijing

DWI AR BIGAU'R DRAIN. Dwi'n sefyll ar bontŵn yng nghanol llyn, 70km i'r gogledd o Beijing, Tsieina. Nid fi ydi'r unig un sydd yn nerfus. Mae pawb o 'nghwmpas yn yr un cwch (neu bontŵn yn yr achos yma) achos hwn ydi Pencampwriaeth Triathlon Amatur y Byd. Dim ond ers rhyw ddeg mis dwi wedi bod yn cystadlu mewn triathlonau sbrint ac wrth i fi edrych o 'nghwmpas ar yr holl athletwyr profiadol, dwi'n dechrau teimlo fel cath yn Crufts. Ddiwrnod ynghynt, mi wnes i gamgymryd Alistair Brownlee (un o driathletwyr mwyaf enwog y byd) am fecanig a gofyn iddo newid olwyn fy meic!

Lai na blwyddyn yn ôl, yn fy nhriathlon cyntaf yn Llanrwst, mi wnes i filltir gyntaf y cymal rhedeg hefo fy sgidiau ar y traed anghywir! Mae dweud bod gen i ddim clem yn bod yn glên. Amatur go iawn. Ond dwi byth yn un i wastraffu amser, felly'n syth ar ôl Llanrwst mi es i'n syth am y copa (fel Mont Blanc!) a rhoi fy enw ymlaen i Bencampwriaeth Triathlon Prydain, heb fwriad na chynllun pellach na gweld pa mor bell y tu ôl i'r goreuon fyswn i. Dwi'n cofio teimlo'n rêl ffŵl yn rhynnu yn fy mhabell, yn trio cysgu ar y nos Sadwrn cyn y bencampwriaeth. Ro'n i wedi teithio ar hyd y wlad ar ben fy hun i Gastell Belvoir, gan aberthu penwythnos o ymlacio a noson allan hefo'r hogiau i ddilyn y freuddwyd wirion o'i gwneud hi i dîm Prydain. Roedd y nod yma mor hurt, ddwedais i ddim 'mod i wedi cofrestru hyd yn oed! *Covert operation* i redeg ar ôl breuddwyd gwrach.

Mi ddes i'n bumed yn fy oedran (25–29 oed) yn y ras yna. Wnes i ddim meddwl mwy am y peth tan i fi gael e-bost yr wythnos wedyn yn dweud fy mod i wedi ei gwneud hi i fewn i'r tîm! Ar ôl cymryd yr athletwyr *elite* allan o'r fformiwla roedd pumed safle yn ddigon i fachu'r lle olaf yn y tîm. Cyn troi rownd ro'n i wedi cael fy noddi gan Brifysgol Bangor a GW Griffiths (adeiladwr

gorau Penmachno!). Felly dyma sut y des i
i sefyll yng nghanol athletwyr o fri, ar fin
plymio i fewn i lyn diarth yn Tsieina!

Efallai fy mod i'n newydd i fyd triathlon,
ond un peth roedd gradd Meistr mewn
Peirianneg Aeronotig wedi ei roi imi oedd
dealltwriaeth o drionglau ongl sgwâr a
Pythagoras. Hyd heddiw, hwn ydi'r unig
beth defnyddiol dwi erioed wedi ei wneud
hefo hi! Dwi'n cerdded i lawr y pontŵn yn
trio fy ngorau glas i reoli'r pilipalas sy'n
brwydro yn fy mol. Wrth i fi edrych i fyny
ac astudio'r cwrs nofio, dwi'n sylwi bod un
ochor o'r pontŵn dipyn agosach i'r bwi sydd
yng nghanol y llyn. Meddyliwch am driongl
ongl sgwâr – roedd pawb ar ochor dde'r
pontŵn am fod yn nofio'n gyfagos (*adjacent*)
ac roedd y wancars ar yr ochor chwith am
fod yn nofio'r hypoteniws. Felly yn naturiol,
dyma fi'n parcio reit ar ochor dde'r pontŵn
hefo gwên smyg ar fy wyneb, yn disgwyl i'r ras
ddechrau. Wrth iddi brysuro, dwi'n dechrau
sylwi nad fi oedd yr unig un oedd wedi talu
sylw mewn dosbarthiadau mathemateg. Yn
fuan iawn does gen i ddim digon o le i grafu
fy nhin heb sôn am gynhesu'r cyhyrau.

Mae pob un o'r athletwyr profiadol yn brwydro am safle da ar yr ochor dde. Mae'n debycach i sgarmes symudol na llinell gychwyn ras nofio! Mae athletwyr o wledydd mawr y byd triathlon – UDA, Awstralia, Prydain, Seland Newydd a'r Almaen – i gyd ar yr ochor yma. Pedwar athletwr o bob gwlad ac mae pob un ohonyn nhw'n cymryd hyn o ddifri. Pwnio, gweiddi a dim gronyn o gyfeillgarwch. *Gimps mega keen* ydi'r disgrifiad technegol. Mae ambell un hefo tatŵ Iron Man, un arall yn slapio ei frest i gael ei hun yn *pumped* neu yn *psyched* (fatha twat), ac mae'r rhan fwyaf ohonyn nhw wedi siafio pob blewyn o'u cyrff i fod yn fwy heidrodeinamig.

Wrth fy ochor mae yna foi mewn trei-siwt UDA yn edrych yn eithriadol o ffit. Dim braster, cyhyrau caled a gwythiennau'n sticio allan ym mhob man. Mae o wedi mynd â siafio i'r eithaf ac wedi ffarwelio â'i aeliau hyd yn oed! Mae o'n edrych fel pidlan hefo *alopecia*. Dwi'n troi ato i drio toddi'r olwg ddifrifol oddi ar ei wyneb drwy ddechrau sgwrs a gofyn, "It's a bit busy here, isn't it?" Dyma fo'n gwneud cwpan o gwmpas ei geg hefo'i ddwylo ac yn bloeddio, "UUUUU-SSSSS-AAAAA!!!!" Dwi'n methu cymryd mwy o hyn. Dwi wedi teithio i ben draw'r byd ar gyfer y ras yma, wedi gadael Ewrop am y tro cyntaf! A dydi'r coc oens yma ddim am gael difetha'r ras i fi – dwi am ei mwynhau hi. Felly, cyn i fi fynd i ffeit dwi'n troi rownd ac yn cerdded trwy'r caij mwncïod oedd wedi ffurfio o'm hamgylch ar y dde, a gwneud fy ffordd at yr ochor chwith i sefyll mewn rhes hefo'r bois oedd ddim yn deall mathemateg.

Byd o wahaniaeth – digon o le i bawb ac mae'r athletwyr yn gwenu'n braf, yn hapus i fod yn rhan o'r peth. Mae yna bobol o bob rhan o'r byd, o Ghana i Indonesia. Yn syth bìn dwi'n gwneud ffrind newydd – boi clên o rywle yn Asia sy'n gofyn imi, "You taaaake selfffiiie?" ac yn ysgwyd ei gamera. Duw a ŵyr sut oedd o wedi cael ei ffôn ar y pontŵn! Dwi'n ysgwyd ei law o ar ôl tynnu'r llun a dymuno pob lwc iddo yn y ras. Wrth i fi wneud hyn dwi'n sylwi fod ei gogls o ben i lawr. Dwi'n barod i adael iddo wybod ond mae'r corn yn seinio i ddangos bod y ras ar fin dechrau. Dwi'n edrych rownd yn sydyn a sylwi nad fo ydi'r unig un sydd hefo'i gogls ben i lawr.

Wrth i'r chwiban fynd i nodi dechrau'r ras, mi wnaeth y geiniog ddisgyn. Ro'n i wedi baglu ar draws un o dactegau gorau y byd triathlon. Doedd y bois yma o Ghana ac Indonesia ddim y nofwyr cryfaf, o bell ffordd! Wrth gwrs, does gan y gwledydd yma ddim y cyfleusterau i ddysgu'n iawn. Ond i fi, mae hyn yn fendith. Ar ôl plymio i mewn i'r dŵr, sylwais nad oedd y lleill yn symud yn gyflym iawn a'u bod nhw'n debycach i haid o Eric the Eels yn fflapio o gwmpas yn gwneud rhyw gyfuniad gwyllt o *doggy-paddle* a fflamenco. O fy mlaen, roedd dŵr clir braf, gwag.

Ond mae'r dŵr ar yr ochor dde yn berwi! Mae'r *gimps mega keen* yn chwalu ei gilydd yn racs, pob un yn trio hawlio'r blaen. Mae yna dynnu traed, dyrnu, *Chinese burns*, tynnu gogls a phob math o bethau annifyr yn digwydd yn y frwydr. Dwi'n siŵr fod yna hyd yn oed ambell i fys yn tin wedi mynd 'mlaen hefyd. Dwi ddim yn berffaith siŵr o'r olaf, rhaid i fi gyfaddef, ond mae'n eithaf tegybol. (Mi glywais floedd yn ystod y nofio, cyn gweld Almaenwr amheus yn oglau ei fawd wrth adael y dŵr.)

Diolch i'r weledigaeth ddamweiniol ges i i symud draw i'r ochor chwith mi wnes i lot gwell nag o'n i wedi ei ddisgwyl yn y cymal yma. Gorffennais yn ail o blith y Prydeinwyr. A ges i seithfed yn y ras gyfan, rywsut.

Dysgais i ddwy wers y diwrnod hwnnw. Os ydych chi isio ennill ras nofio, rasiwch yn erbyn pobol y Trydydd Byd. Dim eu bai nhw ydy o, ond dydyn nhw ddim yn deall gogls!

Yr ail wers oedd i beidio bod yn dwat. Roedd y cystadleuwyr brwdfrydig wedi fy ngwylltio cymaint nes imi rasio'n galetach nag erioed o'r blaen jyst i drio curo'r diawliaid. Ges i P.B. 5km y diwrnod hwnnw (17 munud 18 eiliad). Dydi o ddim yn hap a damwain fod yr athletwyr gorau i gyd yn bobol neis (Eliud Kipchoge, Jessica Ennis, Colin Jackson, Lowri Morgan). Felly, gwenwch a byddwch yn neis a bydd y cystadleuwyr isio sgwrs yn hytrach na ras.

Dwi'n ddiolchgar iawn i fy rheolwr ar y pryd yng Ngholeg Meirion Dwyfor, Eifion Owen (tipyn o anturiaethwr ei hun yn ei ddydd!) am fod mor gefnogol, ac i'r coleg am fy noddi. Hefyd dwi'n ddiolchgar i Brifysgol Bangor ac i GW Griffiths am y nawdd, felly i unrhyw un sydd isio to newydd neu frên newydd, rydych chi'n gwybod lle i fynd.

Camu i'r Copa

Ar ôl tair blynedd o rasio triathlon, dechreuais deimlo'n rhwystredig hefo'r holl offer roedd ei angen. Mae'n gamp lle mae beic drud yn medru prynu amser sylweddol i chi ond maen nhw'n medru costio hyd at £10,000. Doedd gen i ddim diddordeb mewn gwario arian mawr ar feic pan fyswn i'n medru gwario'r pres ar wyliau neu antur yn yr Alpau dros yr haf. Felly, rasio ar feic lôn arferol o'n i, gan wneud ymdrech i ymarfer yn galetach i wneud iawn am yr amser fyswn i'n ei golli ar y cymal beicio.

Yn sydyn iawn ro'n i wedi deall bod y rasys mwyaf bryniog yn dwyn mantais y beics drud TT aerodeinamig. Drwy fynd am y rasys mwyaf brwnt ac anwastad roedd o rywsut yn gwneud y cae chwarae yn fwy gwastad. Corff yn erbyn corff, a dim modd o brynu mantais. Does nunlle gwell nag Eryri i ddod o hyd i rasys fel hyn, ac yn bendant y rhai gorau ydi rasys gwych Camu i'r Copa (Always Aim High).

Am ddwy flynedd yn olynol enillais Bencampwriaeth Antur Triathlon Sbrint Camu i'r Copa. Y triathlon gorau ac anoddaf yn fy marn i ydi Llanc yr Eira, yr un olaf yn y gyfres. Mae'n gorffen gyda chymal rhedeg i fyny Moel Siabod. Ar lethrau brwnt Moel Siabod y gwnes i ddarganfod, a disgyn mewn cariad hefo'r gamp nesaf – rhedeg mynydd. Camp ddi-ffŷs, wrthfasnachol sydd yn profi'r corff a'r meddwl i'r eithaf ym mhob ffordd ac yn gwneud hynny heb ddibynnu ar offer drud i ennill amser. O bell ffordd, y peth gorau am redeg mynydd ydi ei fod o'n eich trochi yng nghanol y mynyddoedd.

4

BBC *Ultimate Hell Week*

Ebrill 2015

PAN O'N I'N GWEITHIO fel darlithydd a chydlynydd cwrs Peirianneg yng Ngholeg Meirion Dwyfor, Dolgellau, mi wnaeth un o fy ffrindiau gorau o'r ysgol gynradd, Iwan Jones (uffar o foi da hefo gwallt shit!), yrru linc i fi o'i glwb triathlon: "Cymera *look* ar hwn, Brass, a gad fi wybod os ti isio fi ddarllen o allan i chdi, y diawl dyslecsic!" Ffurflen gais ar gyfer y rhaglen deledu *Special Forces: Ultimate Hell Week* oedd o.

Chwe mis wedyn, ro'n i'n eistedd wrth fwrdd brecwast mewn gwesty posh, rywle yn Lloegr. Un Cymro bach, blewog ymhlith diadell anhygoel o athletwyr o bob siâp. Ro'n i wedi cael fy newis o dros fil o ymgeiswyr i fod yn un o 32 athletwr yn y rhaglen deledu derfynol. Roedd o fel darlun o'r ffilm *The Greatest Showman* – roedd yr amrywiaeth o gyrff yn syfrdanol ac roedd o leiaf ddwy o'r merched hefo locsyn go lew.

Wrth fy ymyl roedd cawr o *powerlifter* du o Lundain; wrth ei ymyl o roedd *gymnast* sgwâr pum troedfedd o uchder ac o led – roedd newydd fod yn cystadlu yng Ngemau'r Gymanwlad.

"Pass the HP sauce, will you?" meddai capten tîm pêl-droed merched Lloegr wrth John (pencampwr byd cario glo).

"Ee by gwm, lass, no bother at all," medda fo mewn llais dyfn hefo acen Swydd Efrog gref.

Ar ochor arall y bwrdd roedd Gats, a thop ei ben o i'w weld dros y pot coffi. Bocsiwr proffesiynol o Portsmouth oedd Gats, weiran gaws o foi jyst dros bum troedfedd, gwên a wyneb bloc cigydd, wedi'i waldio'n galed ers blynyddoedd. Yn y pythefnos oedd i ddod ro'n i am ddod i weld bod y boi bach yma'n un o'r bobol galetaf ro'n i wedi'i gyfarfod erioed ond yn fwy pwysig na hynny, yn un o'r bobol fwyaf doniol hefyd. Bendith a thonic i doddi drwy unrhyw un o heriau sadistaidd yr SAS.

Ar fy ochor chwith roedd boi tebyg i

Austin Powers hefo barf fawr goch a sbectol hurt bost, ac roedd o'n gwenu fatha dihiryn gwyllt arna i.

"Alright, mate? I'm Danny!"

Dwi'n cofio trio dyfalu beth oedd ei gamp o, ond stopiais ar ôl gweld y blodau plastig lliwgar oedd yn sownd i'w sgidia. Fel yr afr yn *Jurassic Park*, roedd y T-rexes mewn dillad armi am fwyta'r hipi druan yma i frecwast. Doedd gan y boi ddim gobaith! Digwydd bod ma' gwenu oedd ei gamp o! Ac mewn gwirionedd, dyna oedd un o'r pethau mwyaf pwysig i ddygymod hefo'r hyn oedd i ddŵad. Dim syndod ei fod o'n un o'r ddau berson oedd yn sefyll wrth fy ochor bythefnos yn ddiweddarach wedi profi'r holl dreialon. Dwy wythnos anoddaf fy mywyd.

Beth oedd *Ultimate Hell Week*?

Cyfuniad sadistig o *Gladiators* a dwy wythnos yng Ngwersyll Glan-llyn. Roedd yna focswyr proffesiynol, rhedwyr marathons wltra, dau gwffiwr cawell, pencampwr Obstacle Course Racing (OCR) Prydain, gwibiwr 100m, a finna'n gyfuniad o chwaraewr rygbi a thriathletwr. Roedden ni'n aros mewn pebyll armi anferth wrth ymyl maes ymarfer yr SAS ym Mannau Brycheiniog. Roedd chwech o luoedd arfog arbennig y byd am ddŵad i'n profi ni i'r eithaf, athletwyr o bob math a thras, i weld oedd ganddon ni'r hyn roedd ei angen i lwyddo yn eu profion mynediad. Roedd y Navy SEALs o America, YAMAM Israel, y SOC o'r Philippines, SAS Awstralia, Spetsnaz o Rwsia ac SAS Prydain i gyd am gymryd eu tro, un ar ôl y llall yn ddi-baid am 12 diwrnod.

I fod yn onest, do'n i ddim yn cymryd hyn o ddifri am y dyddiau cyntaf. Ges i ddau bwt o gyngor cyn mynd i fewn – un gan ffrind oedd wedi bod yn y fyddin ers blynyddoedd: "Gwirfoddola i bob dim a chymera bob cyfla." Cyngor da sy'n berthnasol i bob elfen o fywyd, dwi'n dechrau deall. Roedd yr ail gan rywun oedd wedi bod yn y diwydiant teledu am flynyddoedd: "Un peth mae cynhyrchwyr teledu yn poeni amdano'n fwy na phob dim arall ydi stori dda. Os ydi'r gwirionedd yn y ffordd, mae'r gwir yn colli. Enjoia!"

Doedd gen i ddim diddordeb mewn bod ar rywbeth fel *Big Brother* – yno am y profiad, yr her a'r cystadlu ro'n i. Ond ro'n i'n teimlo bod y criw teledu yn trio ein harwain ni ar hyd llwybrau penodol iawn hefo'u cwestiynau. Felly, am y dyddiau cyntaf, ro'n i'n cadw fy mhen i lawr, yn ddistaw bach, yn sgopio allan pa fath o raglenni roedden nhw'n trio'u creu. Roedd hyn yn fwy cymhleth na'r ras. Stori dda oedd y criw teledu isio, ac os oedd y stori yna am fod ar ein traul ni, do'n i ddim isio bod yn rhan o hynny.

Er hyn, ro'n i'n fwy na dal fy nhir yn y sialensau corfforol. O'r *press-ups* i'r rhedeg traws gwlad hefo bag 25kg, i gwffio Krav Maga, roedd y cyfuniad o rygbi a triathlon wedi fy mharatoi'n dda. Roedd yr arbenigwyr, fel y codwyr pwysau neu'r rhedwyr wltra, yn gryf mewn un peth ond yn wan mewn pethau eraill. Enillais i chwech allan o wyth her unigol drwy'r gystadleuaeth.

Yn y dyddiau cynnar ro'n i'n gwneud pwynt o ddal chydig yn ôl. Dwi wastad yn cael ffrae gan fy ngwraig am ddreifio ar y draffordd yn y pedwerydd gêr, ella mai dyma pam! Mae o'n gysur meddyliol i wybod bod gen i fwy i'w roi os oes angen. Cer drwy fywyd yn ddistaw bach ond caria ffon fawr y tu ôl i dy gefn maen nhw'n ei ddweud, 'de?

Roedd ambell un yn gwneud lot o sŵn yn y dechrau, ond erbyn i'r Navy SEALs a'r YAMAM ein chwalu ni am bedwar diwrnod yn ddi-baid roedd y cystadleuwyr i lawr i tua ugain (a'r rhan fwyaf o'r rhai swnllyd wedi mynd!). Cyfuniad o ildio, anafu a chael eu cicio allan am ryw reswm neu'i gilydd.

Mae gan sioe deledu fel hyn systemau craff iawn i gael y cystadleuwyr i gymryd y peth o ddifri – dwyn dillad a ffonau symudol pawb oedd y cam cyntaf. Roedd hyn yn gorfodi pawb i ganolbwyntio ar y sefyllfa, ac yn ein trochi ni yn y byd milwrol. Ac wedyn roedden nhw'n ein blino ni'n arw er mwyn ein gwneud ni'n haws ein trin.

Er 'mod i'n hynod o wyliadwrus o'r triciau seicolegol hyn, roedd y tactegau'n dechrau gweithio arna i. Ro'n i wedi gwneud ffrindiau ac wedi dechrau dadmer o flaen y camerâu. Y meddylfryd bellach oedd – os o'n i'n onest a mond yn dweud pethau ro'n i wir yn eu coelio, doedd dim llawer roedden nhw'n medru ei wneud. Erbyn y diwedd ro'n i'n edrych ymlaen at herian y bobol camera, ac yn trin y peth fel gêm o *chess* meddyliol. Ro'n i'n gwneud pwynt o fynd oddi wrth eu cwestiynau ac o beidio cael fy nhywys i lawr rhyw lwybr i ddweud y stori boblogaidd roedden nhw isio ei chlywed. Ro'n i hefyd yn gwneud pwynt o ddweud pob dim yn ddwyieithog. Mi wnes i hyd yn oed gael yr holl griw i floeddio canu 'Oes gafr eto?' a 'Calon lân' rownd y bwrdd bwyd un noson. Hyn oedd y siom fwyaf pan welais i'r darllediad – doedd dim gair o Gymraeg i'w glywed. Roedden nhw wedi torri pob dim. Wn i ddim be mae'r B cyntaf yn sefyll amdano yn 'BBC' ond dydi Cymru a'r iaith Gymraeg yn amlwg ddim yn rhan ohono.

Er hyn, dwi ddim yn difaru eiliad o'r holl beth. Mi wnes i ffrindiau oes a ges i gyfle i brofi fy nghorff a'm meddwl i'r eitha, a gadael toman o rwystrau 'amhosib eu goroesi' yn deilchion y tu ôl i fi wrth adael yr *Ultimate Hell Week*. Cwestiynau wedi eu hateb allwn i ddim fod wedi eu hateb yn unman arall.

Enillydd y gystadleuaeth, doctor o'r enw Claire Miller, a fi a'r hipi caletaf yn y byd, Danny Bent, oedd y tri pherson i ddod trwy'r holl beth. Ar ôl tyfu i fyny hefo dau frawd bach hefo gwallt coch dwi'n gwybod yn iawn nad cyd-ddigwyddiad oedd bod y ddau arall yn jinjars! Mae yna rywbeth yn y gwallt fflamgoch sy'n eu gwneud yn bobol galed a gwirion. Dau aelod arall i'r Gwylliaid Cochion!

Y wers fwyaf ges i o'r holl brofiad oedd fod yr SAS yn ddim byd o gymharu â ffyrnigrwydd fy ngwraig. I wneud y rhaglen wnes i orfod methu pen-blwydd Gwenllian! Dwi heb glywed ei diwedd hi ers hynny.

Yn syth ar ôl gorffen *Ultimate Hell Week* dyma fi a Gwenllian yn gofyn i'r hen ddyn yn y gadair siglo oedd o'n syniad da i mi ymddiswyddo a mynd i deithio'r byd. Un ateb call sydd yna i ffasiwn gwestiwn – wrth gwrs! Ta-ta, Dolgellau, helô yfed pina coladas ar draeth yn Thailand.

Cafodd yr *Ultimate Hell Week* ei ddarlledu pan oedden ni ar ein ffordd rownd y byd. Dwi'n cofio gwneud cyfweliad byw hefo Radio Cymru ar ffôn hen ffasiwn yn nerbynfa'r gwesty bach tramplyd yma yng nghanol y mynyddoedd i'r gogledd o brifddinas Fietnam. Roedd yna helbul yn digwydd o 'nghwmpas i – y ffôn yn disgyn yn ddarnau, ieir yn cerdded trwy'r stafell, a Gwenllian yn trio haglo hefo'r perchennog am bris noson.

5

Teithio

Gorffennaf 2015

Roedd bron pawb dwi'n nabod oedd wedi mynd i deithio wedi dŵad yn ôl tua stôn yn drymach na phan oedden nhw wedi gadael. Ro'n i'n benderfynol o beidio gadael i hyn ddigwydd. Ro'n i hefyd wedi dechrau deall fod aros ar lefel gyson o ffitrwydd a chryfder cyffredinol yn agor drws penodol iawn a hynod o ddefnyddiol. Mae bod yn barod am unrhyw beth ar unrhyw adeg, o farathon i reslo ffarmwrs, yn dy alluogi di i gymryd mantais o bob cyfle mae tynged yn ei daflu ar draws dy ffordd di. Ro'n i'n gwneud *press-ups* bob dydd wrth deithio'r byd, dim ots beth oedd y sefyllfa. Weithiau do'n i mond yn gwneud un (yn hongian ar ôl sesh cachu-trôns yn Bangkok!) ac weithiau ro'n i'n gwneud cannoedd. Ro'n i'n eu gwneud nhw ym mhob man, heb boeni dim beth oedd pobol yn feddwl – o stryd brysur yn India i gwch bach simsan yn Ha Long Bay. Do'n i ddim yn stopio yfed a byta fel fynnwn i ond roedd angen cadw'r ddesgil yn wastad. Ar ben y *press-ups* ro'n i'n trio rhedeg a seiclo gymaint â phosib; dwi'n licio meddwl amdano fel *high-speed sight-seeing.*

Roedd fy mrawd yn priodi yn Iwerddon yn yr haf a dyma ni'n penderfynu dechrau'r daith rownd y byd yn Iwerddon ar feic tandem. Cawsom fis anhygoel llawn Guinness, cerddoriaeth a seiclo tua 100km y diwrnod. Dyma ni'n gweld toman o ddolffiniaid yn neidio wrth ein hochor tra oedden ni ar lôn fach ar yr arfordir uwchben Belfast. Roedd cerddoriaeth fyw ym mhob tafarn ar hyd y ffordd a dyma ni'n digwydd dod ar draws dwy ŵyl gerddoriaeth wych – un yn Sligo ac un yn Rostrevor o'r enw Fiddler's Green. Dyma'r tafarndai a'r tywydd yn cyfuno i'n slofi ni lawr a wnaethon ni mond gorffen hanner yr arfordir cyn gorfod pacio'r tandem yn Sligo a dechrau ar y daith go iawn.

Ymlaen wedyn am fis cyffrous yn India, llawn lliw, bywyd a *runs.* Dyma ni'n cerdded yn yr Himalayas a mynd i rafftio dŵr gwyn yn afon Ganga, £4 punt am ddiwrnod! Ond eu syniad nhw o iechyd a diogelwch oedd cadw'r siacedi achub prin i'r cwsmeriaid oedd yn methu nofio!

Ar ôl India dyma ni'n mynd i Fietnam, a phrynu sgwters gan foi heb ddannedd am $200 yr un. Bargen! Ar ôl wythnos wych yn llwybreiddio drwy'r cefn gwlad mynyddig uwchben Hanoi, yn dojo tractors a sawl gyr o byffalos, dyma gyrraedd ffin Tsieina. Roedden ni'n dreifio ar un o'r lonydd mwyaf trawiadol dwi erioed wedi'i gweld. Mae'r Ma Pi Leng Pass yn fyd-enwog yng nghylchoedd twristiaid moto-beics y byd am reswm. Mae o'n syfrdanol. Lôn fach wedi ei hollti i ochor y mynydd ar ochrau serth y dyffryn anferth sydd yn gwahanu Tsieina a Fietnam. Mae'n rhyw 100km o hyd ac mae pob tamaid ohoni yn anhygoel. Mae'r golygfeydd bron yn anghredadwy ac yn ddi-baid yr holl ffordd. Mae'r mynyddoedd fel pigyrnau bach serth, wedi eu gorchuddio â jyngl a phadis reis.

Mi wnaeth y sgwters bach yn wych – os oedden nhw'n mynd yn sownd roedden nhw bron yn ddigon ysgafn i'w cario! Hyd heddiw, dyna'r ffordd orau dwi wedi'i darganfod i weld gwlad, a byswn i'n annog unrhyw un i wneud yr un peth.

Cambodia ac adfeilion syfrdanol Angkor Wat oedd nesaf. Mae'r llyfrau a'r fforymau'n dweud bod angen o leiaf pythefnos i weld y ffracsiwn lleiaf o'r cannoedd o demlau yn y lle yma. Dyma fi a Gwenllian yn gweld y cyfan mewn tri diwrnod! Mae'n bosib gwasgu lot mwy i fewn os wyt ti'n rhedeg i fyny ac i lawr y temlau! Fel gwenyn meirch yn mynd o flodyn i flodyn, roedden ni'n hamro rownd, yn cymryd seibiant bach weithiau mewn rhyw fan diddorol neu i dynnu llun. Roedd rhai o'r temlau yma yn anferth, wedi'u hadeiladu fel pyramidiau'r Aifft ond hefo mwy o bling. Slabiau anferth o gerrig wedi'u cerfio i'r siapiau mwyaf anhygoel ac wedi dechrau cael eu hawlio'n ôl gan y jyngl.

Ro'n i'n benderfynol o beidio gwastraffu'r amser prin yma heb swydd, ac felly'n cymryd pob cyfle i weld neu i ddysgu rhywbeth newydd. Mi wnaeth y meddylfryd yma arwain at drio lot o gyrris doji. Hyd heddiw dwi ddim yn gwybod beth oedd ynddyn nhw a dwi ddim yn meddwl fy mod i isio gwybod chwaith. Ond mae pob profiad yn werthfawr – dwi'n gwybod rŵan bod Sweet & Sour Labrador yn fendigedig!

Ond mae 'na ambell i fudd arall i'r ffordd yma o feddwl. Yn Thailand pan gawson ni'r cyfle i ddysgu sut i ddeifio yn Ko Tao, dyma ni'n canslo bob dim a gafael ynddo hefo dwy law – un o'r penderfyniadau gorau dwi erioed wedi'i wneud. Allwedd i fyd anhygoel hollol gudd i mi tan rŵan, y byd dan y dŵr. Dyma ni'n deifio wrth deithio drwy Thailand am bythefnos, wedyn mynd i snorclo yn Bali hefo crwbanod a *manta rays*.

Ar ôl Bali dyma ni'n glanio yn Awstralia a mynd yn syth am y Barrier Reef. Wnes i bron llenwi 'nhryncs yn gweld siarc am y tro cyntaf. Dwi wedi gweld siapiau brawychus odana i yn Llyn Padarn, ond roedd hyn yn rhywbeth dwi wedi'i ofni trwy fy oes. Ond wedi gweld siarc byw ychydig fetrau oddi wrtha i, wnaeth o ddaioni.

Ar ôl y deifio dyma ni'n mynd i aros gyda theulu pell Gwenllian yng ngogledd Queensland. Roedd Grant yn gyn-brifathro ac yn rêl *bushwhacker*! Yn union fel Crocodile Dundee dyma fo'n mynd â ni allan i'r Bush i weld yr holl fywyd gwyllt, o blatypws i eryrod anferth o'r enw *eagle-hawks*, ambell walabi a madfallod monitor anferthol. Dyma fo hefyd yn cynnig ein dysgu ni sut i sgio dŵr ar Lyn Tinaroo.

"Dawn't warry, maite, they're only freshies in here!"

Cachu planciau! Ffordd dda i annog rhywun i ddysgu yn sydyn ydi ei atgoffa am y crocodeils! Does dim angen dweud, mi wnes i adael i Gwenllian fynd yn gyntaf.

Roedden ni yn Ffiji am sbelan, ac ar y ffordd i fewn i'r gwesty ar y noson gyntaf dyma fi'n darllen pamffled yn y dderbynfa oedd yn sôn am gwmni yn mynd â phobol i ddeifio hefo siarcod tarw (*bull sharks*), a hynny heb gawell! Roedd meddwl am hyn yn creu ffrwydriad o deimladau, i gyd yn tynnu'n groes i'w gilydd. Mae'r ddau deimlad o ofn a chyffro mor debyg, a dwi wedi dysgu bod modd gwneud penderfyniad ymwybodol am ba un ti'n ei deimlo. Felly, dyma fi'n dewis cyffro! Mae Gwenllian lot dewrach na fi, felly roedd hi'n gêm yn syth bìn. I ffwrdd â ni i drio cael lle ar y cwch.

Roedd hi'n haws dweud na gwneud gan

mai dim ond un diwrnod sbâr oedd ganddon ni i ffitio hyn i fewn. Yn ôl y wefan roedd yn hynod o boblogaidd a phob lle'n cael ei gadw tua chwe mis o flaen llaw. Roedd pobol yn dŵad o bob cornel o'r byd i gael y cyfle yma.

Erbyn i ni droi i fyny yn y porthladd bach y bore wedyn i grafu am le ar y cwch, roedd dau berson wedi canslo! Wnaethon ni ddim oedi digon i feddwl oedd hyn yn lwc dda neu ddrwg. O fewn dwy awr roedden ni yn y dyfnderoedd tywyll, bron i 30m i lawr, pan welais i'r siâp trwchus cyntaf yn ymddangos. Lwmpyn tew yn hedfan yn ara deg tuag ata i. Roedd o'n osgeiddig tu hwnt. Dwi'n cofio meddwl ei fod o'n edrych fel llong ofod anferth o *Star Wars* yn hofran drwy'r gofod yn ddistaw bach. Roedd o'n dŵad reit amdana i a golwg llwglyd arno.

Yn sydyn iawn roedd 'na dros bymtheg anghenfil yn chwyrlïo o'n cwmpas, ac yn bwydo tua 5m o'n blaenau. Roedd y ffyrnigrwydd roedden nhw'n ei ddangos wrth rwygo i fewn i'r darnau tiwna yn frawychus ofnadwy. Roedd yna friwsion tiwna yn disgyn o'n cwmpas ni fel petai'n bwrw eira. Yr unig gysur oedd y deifwyr diogelwch oedd yn nofio reit tu ôl i ni, pob un yn edrych fatha cyn-chwaraewr rygbi, yn cario *trident* yr un!

Roedd gweld y ffasiwn anifail mor agos â hyn yn brofiad gwefreiddiol a bythgofiadwy. A hyd heddiw, dyna un o'r pethau mwyaf cyffrous dwi wedi ei wneud erioed.

Ar ôl chwe mis o deithio, bwyta ac yfed ein ffordd rownd hanner y byd, dyma ni'n glanio yn Seland Newydd. Mae fy chwaer yn byw yna bellach ac roedden ni am aros yna i ddal ein gwynt, hel chydig o bres a dal i fyny hefo'r teulu. Amser i orffwys am sbelan... ;)

6

Diwrnod i groesi gwlad

Chwefror 2016

"Sometimes you've just gotta stop being a soft-cock. This is a race for hard bastards."

Sam Clark: enillydd y ras
Coast to Coast yn 2016/17/18

DWI AM FOD YN onest o'r cychwyn cyntaf. Do'n i ddim yn barod am y ras yma.

Ro'n i a Gwenllian yn India pan wnaeth yr *Ultimate Hell Week* gael ei ddarlledu. Mae Gwenllian yn licio dweud fod gen i FOMO (*fear of missing out!*), ac mae'n berffaith wir. Dwi ddim yn licio colli cyfle. Ro'n i wedi gwneud y penderfyniad i fynd i deithio, gan ddeall 'mod i am fod ym mhen draw'r byd pan oedd y rhaglen yn cael ei darlledu. Ac wrth i fi weld yr holl gystadleuwyr eraill yn cael mynd ar raglenni fel *The One Show* a *BBC*

Breakfast, ro'n i'n teimlo chydig allan ohoni. Ond ro'n i'n benderfynol o drio gwasgu rhywbeth allan o hyn.

Mi wnes i e-bostio pob cylchgrawn ymarfer corff ro'n i'n medru meddwl amdano – a daeth un yn ôl ata i. Cefais gynnig i ysgrifennu darn bach i gylchgrawn *Outdoor Fitness*. Treuliais ddyddiau ar y darn bach cyntaf, a chael pob un aelod o fy nheulu i sbio drosto. Ro'n i'n benderfynol o greu argraff dda, ac mi wnaeth o weithio. Ar ôl darllen y darn mi wnaeth y golygydd, y cyn-gystadleuydd rhyngwladol ar y naid hir, John Shepherd, gynnig i mi ysgrifennu am fwy o anturiaethau, ac am dâl tro 'ma! Bingo. Am y tro roedd gen i bethau mwy pwysig ar fy meddwl – bwyta, yfed ac ymweld â thoman o demlau. Felly, anghofiais bopeth am hyn am bedwar mis, nes cyrraedd Seland Newydd.

Ro'n i'n cerdded trwy'r maes awyr yn Christchurch pan welais i faner fawr gyda llun dyn yn hanner boddi mewn caiac, a fista anhygoel y tu ôl iddo. Dwi'n cofio meddwl allai'r llun yma ddim bod yn wir. Roedd y mynyddoedd yn rhy fawr a'r dŵr yn rhy ffyrnig iddyn nhw fodoli go iawn.

Baner oedd hi yn hyrwyddo'r ras Coast to Coast.

Pencampwriaeth byd aml-gamp, neu *multisport*, ydi'r Coast to Coast, saith cymal o redeg, seiclo a chaiacio dŵr gwyn ar hyd 243km o anialdir Seland Newydd – o un ochor i'r wlad i'r llall mewn diwrnod! Gyda 140km o seiclo, 33km o redeg mynydd a 70km o gaiacio, mae'r rhifau ar ben eu hunain yn ddigon brawychus. Ond o ystyried y tirwedd, a'r ystadegau yma'n cael eu pwytho i fewn i fynyddoedd anghysbell Alpau'r De (Southern Alps), mae rhywun yn deall pam fod y ras yn cael ei hystyried yn un o'r rasys anoddaf yn y byd. Mae'n cael ei chymharu hefo Iron Man Triathlon a hanner. Gyda'r enillwyr yn cymryd rhwng un ar ddeg a deuddeg awr i orffen, roedd y ras nesaf yn dechrau mewn pump wythnos.

Felly, yn amlwg, y peth cyntaf wnes i ar ôl troi'r ffôn oddi ar yr *airplane mode* oedd cofrestru! Do'n i heb feddwl am y $2000+ roedd hyn am ei gostio – roedden ni bron wedi rhedeg allan o bres ar ôl chwe mis o jolihoetio. Yn bendant wnes i ddim crybwyll y peth wrth Gwenllian!

"Hi, I'd like to sign up to the World Champs race please."

"Entry closed about a month ago, sorry, mate."

Meddwl ar fy nhraed yn sydyn: "Eeer... but I'm an experienced sports journalist and I'm here to give you a write-up for a top UK mag."

"Oh, brilliant! In that case you can have a media pass, see you in five weeks. Remember to send us over your grade two white water kayaking certificate. Good luck, mate."

Shit. Ro'n i wedi taflu unrhyw obaith o orffwys ac ymlacio hefo'r teulu i lawr y draen. Roedd gen i bump wythnos i baratoi am ras anoddaf fy mywyd. Ro'n i wedi plymio i fewn i'r pen dwfn, yn methu nofio, nid jyst heb *armbands* ond heb dryncs. Sut dwi'n dechrau esbonio dyfnder y twll ro'n i wedi'i dyllu i fi fy hun?! Ro'n i'n hollol allan o siâp, ar ôl dychwelyd o Asia wedi bwyta bob dim o fewn golwg am chwe mis. Doedd yna ddim un *prawn cracker* na *deep-fried-crispy-chilli-chihuahua* yn saff.

Felly, ro'n i'n bell o fod yn barod am dros bymtheg awr o rasio mynydd caled. Doedd gen i ddim beic, caiac na hyd yn oed sgidiau rhedeg! Yn fwy pwysig, do'n i erioed wedi caiacio o'r blaen ac roedd disgwyl i mi ddangos rhyw fath o dystysgrif! A ddim hyd yn oed y 70km o ddŵr gwyn ffyrnig oedd y peth mwyaf brawychus – roedd disgwyl i mi orffen y ras ac ysgrifennu erthygl amdani ar ôl gorffen! Fel person dyslecsig glân gloyw doedd gen i ddim clem lle i ddechrau. Ond problem i fory oedd honno – roedd pethau pwysicach i'w sortio yn gyntaf!

Dim troi'n ôl

Roedd angen tystysgrif gradd dau mewn caiacio dŵr gwyn i gystadlu, oedd yn gofyn am flynyddoedd o brofiad. Yr unig adeg ro'n i'n cofio bod mewn caiac oedd wrth drio suddo cychod fy ffrindiau yng Ngwersyll Glan-llyn, a do'n i'n da i ddim am wneud hynny! Doedd gen i ddim cwch na dim clem lle i ddechrau, felly doedd dim ond un peth amdani – dweud chydig o gelwydd noeth am ffyrnigrwydd Llyn Tegid. Mi wnaeth o weithio, drwy ryw wyrth, ac mi ges i le ar y cwrs arholi olaf cyn y ras. Benthycais gwch gan fy mrawd yng nghyfraith a throi i fyny ar ben ceunant Waimakariri yng nghanol y mynyddoedd. Roedd gen i ddiwrnod i ddysgu sut i gaiacio a diwrnod o arholiad drannoeth. Pa mor anodd allai o fod? Un rhwyf ar ôl y llall – hawdd!

Roedd yr arholwr, Len, yn ddyn blin a phrofiadol. Roedd o'n edrych fel darn o facwn wedi'i ffrio'n rhy hir ac roedd o'n fy ama i o'r cychwyn cyntaf. Mi wnes i roi'r caiac yn y dŵr a thrio mynd i fewn iddo ond doedd fy mhengliniau i ddim yn ffitio am ryw reswm. Sbiais i fyny, ac ro'n i'n syllu ar y llyw (sydd i fod yn y cefn!). Ro'n i wedi mynd i mewn i'r cwch y ffordd anghywir! Clown. Mi wnes i droi rownd, dal fy ngwynt a gwthio'r cwch i fewn i'r lli cyn i'r arholwr gael cyfle i ddweud dim.

Y ddau ddiwrnod yna oedd rhai mwyaf blinedig fy mywyd. Roedd y cychod yn rhai rasio ac o ganlyniad yn finiog fel cyllyll ac yn hynod o ansefydlog. Ro'n i'n methu darllen y dŵr a doedd gen i ddim clem beth oedd ystyr y geiriau technegol roedd yr hyfforddwr yn eu defnyddio.

"Remember to edge going into the first S-bend!" oedd ei eiriau o gyngor cyn dechrau.

"Yes, no worries, I'll definitely do that!" gwaeddais dros fy ysgwydd!

Does dim angen dweud, mi dreuliais lot o'r diwrnod cyntaf yna'n caiacio ben i lawr. Ar fy niwrnod cyntaf erioed o gaiacio mi wnes i naw awr solad. Erbyn cyrraedd diwedd ceunant Waimakariri ro'n i wedi gwagio fy nghorff o bob gronyn o egni. Roedd y straen meddyliol o fod mewn dŵr ffyrnig wedi gwagio fy nghorff a fy mhen. Ond rhoddais fy oll i fewn iddi ac ro'n i'n diolch i'r nefoedd am yr holl *press-ups* ro'n i wedi bod yn eu gwneud dros y blynyddoedd. Roedd fy nhactegau o badlo fel peth gwirion pryd bynnag ro'n i mewn trwbwl yn gweithio, ond roedd o'n flinedig ac roedd angen pob gronyn o gryfder oedd yn fy nghorff i ddal ati am bron i ddeg awr. "All power and no panache," dywedodd yr hyfforddwr ar ddiwedd y diwrnod cyntaf... Ond mae'n rhaid 'mod i wedi dysgu rhywbeth gan i mi rywsut basio'r arholiad! Y wers bwysig fama ydi bod piso dy hun hefo ofn yn dy gaiac yn gostwng dy graidd disgyrchiant ac, mewn gwirionedd, yn helpu i wneud y cwch yn fwy sefydlog!

Mae un darn 36km o hyd nad oes modd ei gyrraedd hefo unrhyw drafnidiaeth heblaw am gwch bach. Un ffordd i fewn ac un ffordd allan. Mae prydferthwch a llonyddwch y darn yma o geunant Waimakariri heb ei ail. Mae'n hollol wyllt. A heb yr hen ddyn yn fy annog i i wneud y pethau gwirion yma fyswn i ddim wedi dysgu caiacio mewn amser mor fyr, a byswn i wedi colli'r cyfle i brofi un o'r llefydd mwyaf trawiadol yn Seland Newydd. Ac mae unrhyw un sydd wedi bod i'r wlad yn gwybod bod hynna'n dweud lot.

Tua phythefnos cyn y ras, lwc mul oedd dod ar draws Steve Gurney, yr athletwr mwyaf llwyddiannus yn hanes y ras, a rhywun sydd wedi ennill Pencampwriaeth y Byd naw gwaith. Cymeriad a hanner! Dyn bach moel yn ei bumdegau bellach ond yn ffit fel ci hela ac yn gryf. Roedd o'n llawn bywyd a chyngor da:

"Ymarfer ar y cwrs ydi'r gyfrinach," meddai. "Mi fyswn i'n argymell o leiaf ddwy flynedd ar yr afon cyn meddwl am gystadlu. Mae 'na ambell dwmffat yn disgwyl mynd drwyddi hefo dau neu dri mis o brofiad."

Daria. Ddwedais i ddim wrtho ers faint

ro'n i wedi bod yn caiacio! Dim digon o amser, ella, ond un peth sy'n siŵr, difaru am byth fyswn i pe bawn i heb roi cynnig arni. Yr un hen gwestiwn – ydw i am gael y cyfle yma eto?

Y ras

Toc wedi pump y bore a dwi'n rhan o garfan nerfus sy'n cerdded i lawr i draeth Kumara ar lan Môr Tasman. O fy mlaen mae yna gadwyn o oleuadau pen yn llwybreiddio i lawr dros y tywod tywyll o dan nenfwd o sêr dieithr. Mae'r awyrgylch yn drwchus gan densiwn. Allan o bump o bobol fues i'n siarad hefo nhw bore 'ma, mae dau wedi ymddiswyddo ac wedi gwerthu eu tai er mwyn cael y pres a'r amser i ymarfer.

Ers y ras gyntaf yn 1983 mae'r C2C wedi tyfu, ac mae'n fyd-enwog bellach. Mae'n hen daid ar yr holl rasys eraill fel triathlon. Maen nhw i gyd wedi deillio o'r ras chwedlonol yma ym mhen draw'r byd.

Dim ond rŵan, wrth sefyll ar y llinell gychwyn, dwi'n dechrau deall maint y ras. Mae tua 100 o athletwyr o'm hamgylch ac wrth i fi feddwl am yr aberth mae pob un ohonyn nhw wedi ei wneud i gyrraedd yma, dwi'n teimlo fatha tipyn o impostor. Do'n i heb glywed am y ras tan tua phump wythnos yn ôl, a dyma fi wedi'i ffliwcio hi. Wedi glanio yn y wlad ar yr adeg iawn, wedi benthyg yr offer, wedi dysgu caiacio, wedi cael lle am ddim a heb aberthu dim, bron. Os rhywbeth roedd hyn yn dechrau teimlo fatha mantais. Doedd gen i ddim cymaint o bwysau ar fy ysgwyddau na dim byd i'w golli, ac yn union fel Mont Blanc flynyddoedd yn ôl, roedd o'n benderfyniad hawdd unwaith ro'n i'n gofyn y cwestiwn syml i fi fy hun – ydw i am gael y cyfle yma eto? Pwy a ŵyr ydi'r ateb cyson i'r cwestiwn yma, felly pam ei adael o yn nwylo ffawd!?

Eiliadau cyn dechrau a dyma ni'n trochi ein sgidiau, traddodiad ar ddechrau a diwedd y ras. Cyn cael cyfle i feddwl am yr hyn sydd o'm blaen, a faint allan o le ydw i, mae'r corn yn torri drwy'r distawrwydd. Mae'r argae yn chwalu ac mae'r holl densiwn yn troi'n rhyddid, ac o fewn eiliadau rydyn ni ar garlam hurt dros y tywod tywyll.

Mae'r ddau gilometr cyntaf yn teimlo'n wyllt ac yn wirion am ras mor hir. Mae dau berson yn baglu ar eu hwynebau o fy mlaen. Mae pawb ar dân i gyrraedd y beiciau mewn da bryd i fod yn rhan o griw sydyn ar y lôn, gan fod posib ffurfio peloton yn y cymal cyntaf o feicio. Dwi'n colli fy ngwynt yn llwyr o fewn eiliadau ac mewn gwirionedd dwi ddim yn dŵad o hyd iddo'n iawn am dros bymtheg awr arall, ar ochor arall y wlad!

Dwi'n rhan o'r ail grŵp i adael ar ein beics. Mae'r hen fois profiadol yn cyfarth, yn hel a didol y ddiadell i linellau aerodeinamig, effeithiol. Er ei bod hi'n gamp unigol, mae angen gweithio hefo'n gilydd pan ddaw cyfle – er lles pawb.

Dwi'n edrych i fyny o fol y peloton a gweld amlinelliad mynyddoedd anferth Alpau'r De am y tro cyntaf. Mae'r wawr yn newydd ond rydyn ni wedi hen ddechrau chwysu.

Ymlaen at y cymal nesa – 33km o redeg mynydd – ond cyn hynny dwi'n cael fy nhaflu ar gadair i newid fy sgidiau a 'mhlastro hefo eli haul. Mae pawb sy'n cystadlu yn gorfod cael tîm o gefnogwyr i'w dilyn hefo offer a bwyd ar hyd y daith. Mi fyddai hi'n amhosib gorffen y ras hebddyn nhw.

O fewn chwinciad i adael y beic, dwi at fy nghanol mewn dŵr rhynllyd ac yn dringo dros gerrig anferth. Erbyn cyrraedd y bwlch, 800m i fyny, dwi wedi disgyn ddwywaith, wedi croesi 17 afon ac wedi colli fy nghap a'm sbectol haul yn y broses.

Chwe awr a hanner ar ôl cychwyn o'r traeth, dwi'n cyrraedd ceunant Waimakariri i ddechrau'r 70km o gaiacio. Dyma'r her fwyaf i mi. Mae dyfroedd ffyrnig yr afon wedi achosi hunllefau dros yr wythnosau diwethaf. Os ydw i'n rhy araf, cha i ddim cario 'mlaen. Os dwi'n troi drosodd, mae peryg torri'r cwch a fi'n hun.

Dwi'n crampio'r holl ffordd ond rywsut yn dechrau deall y dŵr gwirion yma yn y broses. Cropian wedyn o'r cwch, fy nghoesau i'n ddiarth ac yn gwrthod symud. Mae Gwenllian, yr aelod byrraf o'r criw, yn gorfod dal fy holl bwysau blewog ar ei hysgwyddau a'm llusgo at fy meic.

Wrth ddechrau troi'r pedalau mae pwysau mawr yn codi oddi ar fy sgwyddau. Dwi'n deall beic – mae'n hen ffrind. Does dim dŵr gwyn, trobyllau na chreigiau cudd yn medru fy stopio i. Rhoi un droed o flaen y llall a dwi adra. Mae 'na gwrw yn galw.

Tair awr wedyn, gyda'r haul newydd fachlud, dwi'n cyrraedd y Môr Tawel a'r llinell derfyn, dair awr a hanner ar ôl yr enillydd, Sam Clark. Allan o jyst dros gant o athletwyr wnaeth ddechrau mae 83 yn gorffen ac dwi'n 47fed. 15 awr 26 munud i groesi gwlad.

Cyn dechrau'r ras roedd pawb ro'n i'n nabod yn fy nghynghori i beidio rhoi cynnig arni. "Ti am frifo, neu waeth, y ffŵl gwirion!" oedd yr ymateb mwyaf poblogaidd. Roedd pobol yn meddwl 'mod i'n hurt bost! Yn enwedig y rhai oedd yn nabod yr afon. Ond mae hyn yn profi bod angen rhoi ffydd ynot ti dy hun weithiau a dy allu i biso yn dy gaiac. Profiad anhygoel a, hyd heddiw, y ras ora dwi erioed wedi ei gwneud. Diolch i'r hen ddyn yn y gadair siglo. Gwych! Ia, ffantastig!! Ond mae'r diawl wedi hen golli ei farblis a dydi o ddim wastad yn gwneud y penderfyniadau doethaf. Ddwy wythnos a hanner cyn cychwyn y Coast to Coast ges i alwad ffôn gan drefnwyr ras o'r enw y Pioneer...

7

Ar olwyn yr arloeswyr

Chwefror 2016

SAITH DIWRNOD O RASIO, 569km o seiclo, 15,273m o ddringo, ac un beiciwr mynydd doji.

Mae ras beicio mynydd y Pioneer ar y ffordd i uchelfannau'r gamp yn ôl rhai.

Paratoi

Pythefnos a hanner cyn dechrau'r Coast to Coast:

"Y wraig 'di brifo? Gwych! Pryd 'dan ni'n dechrau?" dywedais heb feddwl.

Ro'n i wedi bod ar y ffôn hefo un o drefnwyr ras feics mynydd newydd ar draws Seland Newydd. Roedd aelod o dîm wedi cael anaf munud olaf ac roedd angen rhywun i lenwi'r bwlch.

Pedwar diwrnod cyn cychwyn y ras hurt yma do'n i mond wedi bod ar feic mynydd lond llaw o weithiau. Ond buan iawn yr anghofiais am fy niffyg profiad ar ôl clywed y geiriau melys, "Bacwn di-ben-draw i frecwast." Ro'n i'n gêm!

Do'n i ddim wedi beicio mynydd fawr ddim ac roedd hon yn un o dair ras anoddaf y byd. Ar ben hyn do'n i ddim wedi ymarfer, ac yn bendant ddim yn barod am saith diwrnod yn olynol o 10 awr o feicio mynydd caled. Ac i bawb o'r tu allan roedd y siawns o orffen yn ddim, heb sôn am orffen mewn stad i rasio'r Coast to Coast chwe diwrnod ar ôl gorffen. Roedd yna hefyd bwysau ychwanegol o orfod ysgrifennu erthyglau ar ddiwedd y cwbwl. Taswn i ddim yn llwyddo roedd o am fod yn gyhoeddus iawn. Roedd Gwen (fy chwaer) a Brett (fy mrawd yng nghyfraith) wedi trefnu i gymryd diwrnod o'r gwaith i 'nghefnogi i ar y Coast to Coast, a taswn i'n brifo yn gwneud y Pioneer byddai hynny'n ofer.

Ar ôl bod drwy'r *Ultimate Hell Week* doedd yna ddim llawer o heriau corfforol yn codi ofn arna i. Ond ro'n i'n newydd i feicio mynydd ac ro'n i'n trio cadw lefel ffitrwydd uchel yn bwrpasol er mwyn manteisio ar gyfleoedd fel hyn. Roedd y ras i fod i gostio

$3,000 (dros £1,500) ac ro'n i'n cael lle am ddim. *No brainer*, ac ro'n i angen colli chydig o bwysau cyn y Coast to Coast, felly efallai fyddai'r holl beth yn gwneud daioni. Rhwygais fy amserlen ymarfer Coast to Coast a dechrau chwilio am feic!

Tri diwrnod yn ddiweddarach

Ro'n i'n sefyll allan fel dafad ddu ar y llinell gychwyn – wedi llogi beic y diwrnod cynt a hwnnw'n edrych fel motor hen daid wedi glanio yn y Fformiwla Un. O edrych 'nôl, ro'n i'n hapus braf yn fy nallineb.

Mae'r Pioneer yn ras 569km sy'n mynd trwy ganolbarth mynyddig Seland Newydd. Rhwng Christchurch a Queenstown mae'n dringo bron i ddwywaith uchder Everest. Roedd 300 o feicwyr yn cymryd rhan, ac yn eu plith roedd pencampwr byd, enillydd medal efydd ac aur yng Ngemau'r Gymanwlad... a fi – twrist, yn ffresh o deithio'r byd heb ddim clem sut i feicio mynydd! Ond mae pawb angen dechrau yn rhywle, yn dydyn nhw?

Dyma faint yr her yn taro adra hefo waldan fwdlyd yn fy nhrwyn. Roedd y dringo yn

70

ddi-ben-draw a'r tyniant yn mynd a dod, gan wneud i olwyn gefn fy meic droelli yn ei hunfan fel petai 500 ceffyl yn ei bweru. Fel un o'r Ford Escorts llawn *chavs* yn gwneud *wheel-spins* rownd castell Caernarfon.

Doedd y darnau gwastad ddim gwell. Roedd y pac yn teithio ochor yn ochor drwy afonydd, dros bontydd pren tila ac ar hyd sawl dibyn serth. Yr unig beth oedd yn rhoi seibiant oddi wrth y sgarmes gyfyng oedd mynydd. Ar ôl tipyn roedd gweld un o'r llethrau hyn yn codi calon ryw chydig, nes i'r graddiant gael y gorau arna i eto. Ro'n i'n gorfod ymuno hefo'r dorf a ninnau'n cerdded i ben y mynydd fel rhesiad ansicr o bengwins mewn sgidiau beic.

Ail ddiwrnod: Sylweddoli

Wrth edrych i lawr o Mickleburn Saddle mi welais newid syfrdanol yn y tirwedd. Y tu ôl i mi, roedd carped cris-croes tir amaeth y Canterbury Plains yn ymestyn at y gorwel ac o fy mlaen roedd mynyddoedd anferth Alpau'r De – fel dannedd miniog yn rhwystro'r ffordd. Roedd y ras ar fin ein taflu i'w canol.

Mae capiau disglair gwyn y mynyddoedd yn edrych i lawr dros y ceunentydd tra bod dŵr llachar y llynnoedd glas yn cronni wrth eu traed – golygfa anhygoel. Ond mae'n taro adra y bydd rhaid i mi fynd i fyny'r mynyddoedd, trwy'r ceunentydd ac i mewn i ddyfroedd rhynllyd yr afonydd.

Trydydd diwrnod: Egni

Roedd hi'n 40°C ar y trydydd diwrnod, a'r chwalfa lychlyd o ddringo 2,500m yn aros amdanon ni. Ond roedd gorffen ar fy mhen yng nghanol Llyn Tekapo, sy'n cael ei fwydo gan rewlif, yn mwy na gwneud iawn am y gwaith caled. Mewn gwirionedd, yr unig beth roedd angen i mi ei wneud pan oedd pethau'n mynd yn galed oedd codi fy mhen. Roedd y golygfeydd arallfydol o 'nghwmpas yn rhoi egni di-ben-draw i fi.

Pumed diwrnod: Cymal y Sguthan (The Queen's Stage)

Gyda 100km o seiclo a bron i 4,000m o ddringo wedi'i wneud, dwi'n cropian i fyny'r bwlch olaf. Rydyn ni'n uchel uwchben Llyn Hawea ac mae'r olygfa'n syfrdanol; yn wyllt a gwirioneddol anial. O fewn eiliadau dwi'n cael fy rhwygo'n ôl at y dasg hurt o 'mlaen. Mae'r llwybr caregog wedi ei naddu i fewn i wyneb y mynydd, ac yn llithro i lawr ar ongl hollol afresymol. Mae'r cerrig rhydd a'r tomenni gwair yn cydweithio i drio dwyn fy olwyn flaen yn y gêm o *hide and seek* fwyaf dychrynllyd dwi erioed wedi'i chwarae. Erbyn cyrraedd y gwaelod mae fy nwylo wedi cloi fel dwy grafanc ar ôl gwasgu'r brêcs am gyn hired. Mae pigo *jelly babies* hefo'r ddwy raw ddiarth 'ma ar ddiwedd fy mreichiau yn amhosib, dwi jyst â dechrau pori.

Erbyn diwedd pob diwrnod dwi wedi cael fy chwalu yn feddyliol ac yn gorfforol. Ar feic lôn, o leiaf mae 'na chydig o seibiant i'w gael. Ddim yn fama. Os wyt ti'n stopio canolbwyntio am eiliad, rwyt ti dros y dibyn. Roedd rhwng saith a deg awr o hyn bob dydd yn chwalfa, ac roedd gweld y babell nos yn llawn bwyd a chwrw oer yn olygfa groesawgar iawn. Y foronen i ddenu'r mul adra.

Seithfed diwrnod: Am adra

Gnarly mae'r Kiwis yn galw'r tirwedd yma ac mae o'n gweddu. Mae'n gras ac yn anfaddeugar, yn ymestyn trwy duswau o Giant Spaniard (math o wair pigog brodorol sy'n gefnder i'r foronen, coeliwch neu beidio). Mae'n frwydr am bob modfedd, hyd yn oed lawr allt.

Roedd y blinder, yr ysfa i orffen a natur dechnegol y cwrs yn gyfuniad peryglus. Yn y 10km cyntaf, mi welais i ddwy ddamwain ac olion rhyw hanner dwsin arall. Ar wasgar o gwmpas y llinell fyrraf (af i ddim mor bell â'i alw fo'n llwybr) roedd twmpath o olwynion plygiedig a chleifion cloff un ai'n pysgota eu beiciau allan o ffos neu'n eistedd yn disgwyl am lifft. Ro'n i wedi hen ddechrau mynd fel malwen ar ôl gweld hynny; ro'n i'n gorffen y diawl ras 'ma! Roedd y bedydd tân wedi gweithio ac mi ddois i lawr y llethr 23km (oedd yn cynnwys tirwedd anoddaf yr wythnos) ac aros ar fy meic, gan seiclo i lawr darnau fyddwn i'n debygol o fod angen rhaff ddringo er mwyn eu gwneud nhw wythnos ynghynt.

Wrth i fi longyfarch fy hun am fod yn grêt,

a pharatoi at yr 20km llyfn at y llinell derfyn, daeth yr hen elyn i'r golwg – ffos fwdlyd. Mi wnaeth hon ysbrydoli pedwerydd *somersault* y daith, a fy ngorchuddio o 'mhen i 'nhraed mewn mwd trwchus.

Gorffen: Panda

Yn wên o glust i glust ar y llinell derfyn yn Queenstown, mae'r cylchoedd glân gwyn a fu'n cuddio o dan fy sbectol haul yn gwneud i fi edrych fel panda gwallgo.

Enillwyr y ras oedd Anton Cooper a Dan McConnell – roedden nhw'n cynhesu cyn cystadlu yn y Gemau Olympaidd! Mae'r ddau ddyn yma'n fwy o ninjas na reidwyr beic. Roedd eu gwylio nhw'n llifo i lawr y mynyddoedd yn ysbrydoliaeth ac yn fraint. Y rasys amlgymal yma ydi'r Grand Tours o'u math. Dydi'r Pioneer ddim wedi cyrraedd statws ras fel y Tour de France eto, ond os ydi'r ras gyntaf yma'n unrhyw arwydd o beth sydd i ddod, mae ar ei ffordd i ddod yn binacl y gamp. Roedd y trefnu a'r logisteg yn eithriadol. Mae Ynys y De yn Seland Newydd ddeg gwaith maint Cymru ond hefo dim ond miliwn o bobol yn byw yno.

Mi wnaeth y trefnwyr lwyddo i ddenu diadell o feicwyr a'u harwain i rannau o Alpau'r De sydd wedi bod ar gau i'r cyhoedd ers cenedlaethau. A beth oedd yn disgwyl amdanon ni ar dop y llethrau uchaf ac ar ddiwedd y dyffrynnoedd mwyaf anial? *Jelly babies* a bananas. Sut wnaethon nhw hyn, dwi ddim yn gwybod. Rhywbeth i'w wneud hefo beiciau cwad a meddylfryd di-ildio y Kiwis, dwi'n amau.

26 awr 50 munud wnaeth yr enillwyr gymryd i seiclo 569km, gan ddringo 15,273m. Mi wnes i gymryd 44 awr 42 munud, gan groesi'r llinell derfyn yn safle 65. Yn bendant, rydych chi dan anfantais wrth ddod i mewn i her fel hyn heb brofiad beicio mynydd, ond dydi o ddim yn amhosib. Fel yr arloeswyr gwreiddiol, torchwch eich llewys ac *up-the-guts*, fel mae'r Kiwis yn licio dweud.

Ar ôl gorffen cefais chwe diwrnod o seibiant ac ro'n i'n barod am y Coast to Coast! (Gweler pennod 6!)

8

Tân dani

Mai 2017

FLWYDDYN I'R DIWRNOD AR ôl gadael Cymru i fynd
i deithio, dyma fi a Gwenllian yn dychwelyd.
Ro'n i'n dal i ysgrifennu i'r cylchgrawn ac
ro'n i'n chwilio am yr her nesaf. Ar ôl cael
blas ar y rasys hirach roedd awydd arna i i
drio gwthio'r ffiniau ymhellach.

Mae gan Ras Cefn y Ddraig Berghaus
(RCYDD) 315km o redeg a 15,500m o ddringo
– dwywaith uchder Everest – wedi'u gwasgu
i bump diwrnod. Ar dirwedd anfaddeugar
ucheldir Cymru mae natur yr anghenfil
yma'n dechrau dangos. Ras anoddaf y byd,
yn ôl rhai.

Mae gen i dalent brin am wneud pethau
twp cyn meddwl ond mae cofrestru i wneud
y ras yma yn cymryd y gacen! Mi wnaeth
ffrind i mi ro'n i'n arfer chwarae rygbi hefo

fo, Huw Erddyn, glywed fy mod yn gwneud y ras ac roedd ganddo awydd dilyn hefo'i gamera! Dim trwbwl o gwbwl.

Pum mis i fynd

Wnes i gofrestru heb ddim clem, a heb baratoi – fel cogydd yn trio'i law ar *cement mixer*. O'n i'n *balls deep* yn paratoi at ras gyntaf Obstacle Course Racing (OCR) lle o'n i'n chwarae hefo'r syniad o drio cymhwyso ar gyfer Pencampwriaeth y Byd draw yn Lake Tahoe yng Nghalifffornia.

Yn fuan iawn ar ôl i mi gael y dröedigaeth yma a chofrestru ar gyfer RCYDD, dechreuais ymchwilio. Ac ar ôl pum munud o hambygio Google, disgynnodd y geiniog fel darn dwybunt. Ro'n i allan o 'nyfnder go iawn, yn y pen dwfn mewn Speedos plwm.

1992 oedd y flwyddyn gyntaf i RCYDD gael ei chynnal. Gyda disgwyl i redwyr lwybreiddio eu ffordd o Gonwy i Landeilo wrth gyfeiriannu (*orienteering*) dros gopaon uchaf a mwyaf brwnt Cymru, roedd y ras gam i fyny o unrhyw beth oedd wedi bod o'r blaen. Roedd angen y fyddin i helpu i'w threfnu ac ar ôl derbyn nawdd gan gwmni olew enfawr, daeth rhedwyr mynydd gorau'r byd allan i chwarae.

O'r 84 o bobol ddechreuodd y ras bryd hynny, dim ond 28 wnaeth orffen, sef 38%. Mae'r ganran yma'n syfrdanol. O gymharu, mae 95% o bobol yn gorffen triathlon Iron Man a dros 99% yn gorffen marathon.

Yn fuddugol yn y ras gyntaf honno, ar ôl pum diwrnod brwnt ar y mynydd, a adawodd gyrff ar chwâl ledled Cymru, roedd Helene Diamantides a Martin Stone. Helene wnaeth ennill yr holl beth – arwres sydd wedi ysbrydoli cenhedlaeth bellach. Roedd gorffen yn ddigon o her ond gan i Helene guro rhai o ddynion gorau'r byd ar faes gwastad, roedd y canlyniad yn garreg filltir ym mhob ystyr.

Chafodd y ras ddim ei chynnal am ugain mlynedd arall. Yna, yn 2012, atgyfodwyd y bwystfil ac yn ôl yr ystadegau, doedd y ddraig heb godi o'i thrwmgwsg mewn tymer rhy dda. Dim ond 24 person wnaeth orffen y diwrnod cyntaf. Ers 2012, mae'r ras wedi cael ei chynnal bedair gwaith – unwaith bob dwy flynedd.

Dydi heriau corfforol ddim yn ddiarth i

mi, ond fel arfer, fy syniad i o ras dda ydi un lle dwi'n medru bod yn eistedd mewn tafarn hefo peint a thrôns glân o fewn dwy awr. Roedd hwn yn anifail gwahanol.

Tri mis i fynd

Dwi wedi dysgu dros y blynyddoedd mai lle da i gychwyn paratoi at unrhyw beth, o llnau popty i driathlon, ydi cerdded mynydd yn y gaeaf. Felly fan'na ddechreuais i ym mis Chwefror 2017, i fyny ym mhen draw'r Alban ar daith yn Ullapool gyda chriw o eifr mynydd Clwb Mynydda Cymru. Mae'r colli cwsg yn sgil yr holl chwyrnu yn fwy brawychus na'r rhan fwyaf o heriau corfforol! Heb sôn am yr wyth awr y dydd o lusgo llond sach o offer gwlyb dros gopaon mwyaf anghysbell yr Alban – a hyn i gyd wrth drio dal i fyny hefo'r geifr drwy eira trwchus a gwyntoedd afreolus (y criw). Dros yr wythnos, gwelais dop naw Munro newydd, dau eryr aur ac ambell i ddram o'r llaeth mwnci lleol! Yr uchafbwynt yn bendant oedd Ben Hope (927m) ar ddiwrnod clir, Munro mwyaf gogleddol yr Alban – gydag aeliau moethus Gareth Eyebrows Everett wedi'u rhewi'n gorn yn ychwanegu at yr olygfa syfrdanol. Wythnos galed, werth chweil, mewn cwmni da.

Yng nghanol yr ymarfer i RCYDD mi wnes i ddod yn chweched yn yr OCR Spartan oedd yn golygu 'mod i'n medru cystadlu ym Mhencampwriaeth y Byd draw yng Nghaliffornia. Roedd y trefnwyr hyd yn oed am dalu am fy ngwesty a phopeth, ond mi wnes i'r penderfyniad anodd o wrthod y cyfle er mwyn canolbwyntio ar RCYDD. Rhywbeth poenus iawn i mi'i wneud gan fod gen i'r FOMO mwyaf yn y byd!

Dau fis i fynd

Yn y misoedd wedyn, dechreuais gynyddu'r milltiroedd, a phob modfedd ar fynydd. Roedd angen arfer symud yn rhwydd dros y tir brwnt i gyrraedd diwedd y daith. Dechreuais ymarfer cyfeiriannu cyflym dan bwysau, rhywbeth hollol wahanol i fi. Roedd bwyd mynydd yn beth newydd i fi hefyd; boi brechdan facwn dwi wedi bod erioed, ond yn y ras yma does dim amser nac egni i gnoi llawer o ddim, felly mae ymarfer y stumog yr un mor bwysig â'r coesau, wrth drio bwyta ar garlam.

Mae'r trefnwyr yn awgrymu gwneud *recce* o bob diwrnod o flaen llaw. Gan fod y cwrs fwy neu lai yn mynd o dop i waelod Cymru, mae hyn yn gamp ynddo'i hun. Mond cyfle i roi tro ar yr ail ddiwrnod ges i – 58km hefo 3,600m o ddringo o Lyn Gwynant dros y Cnicht yn y Moelwynion a lawr y Rhinogydd at Ddolgellau. Blas bach (ond brawychus) oedd yn agoriad llygad i beth oedd i ddod.

30 munud i fynd

Hefo pob cam o ymarfer roedd y pwysau yn codi. Mae angen aberthu gymaint hyd yn oed i gyrraedd llinell gychwyn y ras yma. Un cam o'i le, un ffêr wedi'i throi, un annwyd, un *checkpoint* wedi'i fethu ac mi fysa'r holl waith yn ofer. Wrth i mi gerdded drwy furiau hen gastell Conwy tuag at y llinell gychwyn, gyda nodau pwerus Côr Meibion Maelgwn yn canu 'Hen Wlad fy Nhadau' yn twchu'r awyrgylch hyd yn oed ymhellach, teimlais y pwysau'n dechrau codi. Roedd pethau yn syml o hyn ymlaen – dim ond rhedeg fel y diawl oedd ar ôl i'w wneud! Beth oedd i ddilyn oedd pum diwrnod anoddaf fy mywyd...

Diwrnod 1

Y Carneddau, y Glyderau a'r Wyddfa [Pellter: 52km / Uchder: 3,800m o ddringo / Amser ar y mynydd: 9 awr 52 munud]

Ro'n i'n un o 223 o redwyr nerfus yn aros wrth furiau castell Conwy. Ac wrth i nodau grymus y côr ein danfon ar ein taith, chwalwyd yr argae.

Llawenydd llwyr oedd carlamu drwy Eryri ar y diwrnod cyntaf. Hedfan i lawr Pen yr Ole Wen ar draed ffres a dawnsio dros Grib Goch yn y gwynt a'r niwl, dim trwbwl o gwbwl. Ar ôl i mi edrych o 'nghwmpas ar ddiwedd y cymal i weld pwy arall oedd wedi'i gwneud hi, dechreuodd y clychau larwm floeddio. Roedd pawb arall yn afr fynydd wifrog. Mae rhedwyr mynydd wedi'u hadeiladu'n arbennig – coesau hir cryf, barf opsiynol a dim byd arall o werth. Dwi ar y llaw arall wedi 'nylunio fwy i fwyngloddio a byta sosij rôls. Tra oedd y rhedwyr doeth yn dal yn ôl, ro'n i'n taflu fy hun oddi ar y tir uchel fel casgen. Hwyl, ond ffordd sicr o dorri'r coesau i lawr yn dow dow. (Safle: 28)

Diwrnod 2

Y Moelwynion a'r Rhinogydd [58km / 3,600m o ddringo / 13 awr 19 munud]

Dechreuais yn rhy hwyr ac yn rhy coci – ddwy awr ar ôl y rhedwyr profiadol. Roedd y pwysau arna i'n syth wrth i mi garlamu drwy flanced o niwl trwchus ar ben Cnicht, yn adrodd cyfarwyddiadau a phellteroedd i fi fy hun fel dyn gwyllt. Un gwall a bysa'r ras drosodd i mi. Ond cyrhaeddais hanner ffordd gyda llai nag awr i sbario cyn amser cloi. Nid pawb oedd mor ffodus.

Roedd y Rhinogydd yn frwnt, yn ôl y disgwyl; yn anghysbell ac anial o gymharu hefo gogledd Eryri. Ond daeth y tirwedd anodd law yn llaw â phrydferthwch naturiol – o redeg heibio Llyn Eiddew gyda phâr o wyddau blin, yr unig eneidiau eraill oedd o gwmpas, i sefyll ar fynydd olaf y diwrnod, y Diffwys, am funud o seibiant. Roedd yr haul yn machlud wrth i mi syllu dros afon Mawddach, cyn troelli i lawr y dyffryn i gosi traed Cadair Idris. Problem at bore fory. (Safle: 100)

Diwrnod 3

Cadair Idris a Phumlumon Fawr [71km / 3,500m o ddringo / 14 awr 06 munud]

Yn ôl y sôn, y diwrnod yma ydi'r trobwynt. Pwy bynnag sy'n gorffen heddiw, mae ganddyn nhw siawns go lew o gyrraedd y diwedd. Hefo fy het rhedwr mynydd ymlaen, arafais y tempo i drio gwneud iawn am fynd yn rhy galed dros y dyddiau diwethaf. Ar ôl dechrau caled i fyny ochor Cadair Idris, i lawr â fi i Ddyffryn Dysynni, heibio hen furiau Castell y Bere a dros Tarren Hendre i mewn i Fachynlleth. Erbyn deg o'r gloch y bore roedd y tymheredd yn 28°C a gyda llai a llai o ddŵr ar y cwrs, erbyn cyrraedd Machynlleth roedd 'na dipyn o olwg arnon ni. Dyma ni'n disgyn ar y dre fach fel pla o locustiaid mwdlyd, yn bwyta ac yfed pob dim o fewn cyrraedd.

40km yn ddiweddarach, wrth ddod i lawr ar hyd llethrau Pumlumon, mynydd olaf y diwrnod, gyda 500m i fynd, teimlais boen aruthrol yn llosgi yn fy nghrimog dde. Cerddais y gweddill, gan drio anwybyddu'r 71km oedd yn disgwyl amdana i y diwrnod wedyn. (Safle: 87)

Diwrnod 4

Dyffryn Elan a Drygarn Fawr [71km / 2,400m o ddringo / 15 awr 56 munud]

Dyma un o ddiwrnodau anoddaf fy mywyd, dim jôc. Deffrais am 4:30yb, strapio fy nghoes dde, llyncu fy mrecwast, llenwi fy mag a ffwrdd â fi hefo'r wawr. Os am orffen y diwrnod, ro'n i angen pob eiliad. Doedd fy nghrimog i ddim gwell – mynd yn waeth oedd y diawl os rhywbeth. O'm blaen roedd bron 150km o fynyddoedd, a phrin 'mod i'n medru sbio arnyn nhw heb sôn am redeg drostyn nhw. Am y tro cyntaf yn y ras, dechreuais golli ffydd. Roedd yr holl beth yn amhosib. Daeth pawb oedd wedi fy helpu fi ar hyd y ffordd i'm meddwl a dyma fi, yn teimlo 'mod i'n methu cario 'mlaen. Wnaeth yr holl beth fy nharo fel tunnell o frics, a dechreuais grio tu ôl i fy sbectol haul wrth i redwyr eraill fownsio heibio.

Y tair awr nesaf oedd rhai anoddaf yr holl ras, yn feddyliol ac yn gorfforol. Ond er gwaethaf fy nghyflymder crwban, trwy ryw wyrth ro'n i'n dal i symud yn y cyfeiriad cywir. Canolbwyntiais ar gyrraedd y pwynt cefnogaeth hanner ffordd yn y gobaith fod un o'r meddygon am fedru gwneud rhywbeth. A thrwy gyfuniad o ganu gwael a gormod o ibuprofen, ro'n i wedi goroesi'r 40km cyntaf.

Roedd y pwynt cefnogaeth olaf fel darlun o ryfel. Roedd 'na gyrff yn gorwedd ym mhobman a meddygon yn brysur yn tapio pobol yn ôl at ei gilydd. Ges i archwiliad gan un o'r meddygon, oedd yn cynnwys row am gymryd gormod o ibuprofen heb ddigon o ddŵr, ond newyddion da oedd i ddod. Doedd gen i ddim *stress fracture* – yr anaf ro'n i'n ei ofni. *Shin splints* neu tendonitis oedd y dyfarniad, a doedd 'run o'r ddau am adael difrod parhaol. Cododd pwysau oddi ar fy sgwyddau. Allai pethau fynd dim gwaeth na'r oriau diwethaf, ac ro'n i'n agosach at y llinell derfyn. Ac ar ôl clywed y sgwrs ges i hefo'r meddyg, daeth uffar o foi draw a rhoi menthyg un o'i bolion cerdded i mi. Lejand!

Rywsut, dechreuais fwynhau eto. Ac ymhen tipyn, ro'n i'n rhannu machlud haul bendigedig gyda ffrind newydd o Japan uwchben Llyn Caban-coch. Roedd o mor wallgo â fi, yn gweiddi "Beautiful!" ar dop ei lais wrth ddod i lawr mynydd olaf y diwrnod. Yn fuan iawn, sylwais mai dyma'i unig eirfa Saesneg. Un lle oedd i hyn fynd, a gwers Gymraeg ar ben mynydd oedd hynny! Ac ar ôl rhyw ddeg munud, "Pwdin blew!" oedd y floedd. Cyrhaeddais y maes pebyll toc wedi deg y nos hefo llai nag awr i sbario – yr agosaf ddois at gael fy ngwahardd yn sgil amser. Diwrnod hir. (Safle: 138)

Diwrnod 5

Sir Gaerfyrddin a Fan Brycheiniog [63km / 2,200m o ddringo / 13 awr 38 munud]

Dechrau diwedd y daith. I ffwrdd â fi am chwech o'r gloch ar y dot ar ôl ffeindio dau bolyn cam yn y bocs cit coll. Do'n i ddim am gael fy maglu heddiw. Erbyn hyn ro'n i wedi perffeithio'r steil rhedeg cropian-cloff-crwban-'di-meddwi, a llusgais fy hun drwy Fannau Brycheiniog i groesi'r llinell derfyn ar ôl 66 awr 53 munud o redeg. Ro'n i fel sombi, yn hapus a hynod o ddrewllyd, yn baglu drwy'r maes gwersylla yn chwilio am gwrw oer a bath poeth. Ffeindiais y ddau, a chwympo i gysgu ar ôl llymaid o'r cyntaf.

Pur anaml mae'n llygaid i'n profi'n fwy na 'mol i, ond dwi'n amau eu bod nhw'n fwy na 'nghoesau i o dipyn. Mae bellach dros flwyddyn ers i mi orffen y ras a dydi fy nghoesau'n dal ddim wedi dŵad atyn nhw'u hunain. Wedi dweud hyn, dydw i ddim yn difaru eiliad o'r siwrne. Wythnos anhygoel dwi'n ei chofio fel breuddwyd, yn ffres ond bron yn rhy hurt i fod yn wir. Mae'r daith yma wedi plethu Cymru gyfan yn fy mhen i – dwi'n teimlo 'mod i'n nabod y darn o dir yma am y tro cyntaf. A beth mae corff yn dda heblaw am ei ddefnyddio?

Mae lot o bobol yn poeni am y niwed mae'r rasys hir yma'n ei wneud i'w cyrff. A does dim dwywaith, maen nhw'n brifo, ac weithiau'n achosi anafiadau. Mi wnaeth hi gymryd rhyw bedwar mis i'r *shin splints* glirio a dau fis arall i fi fagu awydd rhedeg eto. Ond o ran niwed parhaol dwi'n dadlau bod rasys fel hyn yn gwneud yn groes. Ras Cefn y Ddraig oedd y ras wltra gyntaf wnes i erioed. O 223 o redwyr profiadol wnaeth gychwyn, dim ond 127 wnaeth orffen. Ro'n i'n y 96ed safle, ddim yn bell o fod yn olaf!

Yr ail ras wltra i mi oedd y Pen Llŷn Gaeaf dros flwyddyn wedyn. O'r 70 rhedwr wnaeth gychwyn, 56 wnaeth orffen ac ro'n i'n gyntaf! Dyna'r ras redeg gyntaf i mi ei hennill, ac mae o jyst yn dangos gwerth taflu dy hun i fewn i'r pen dwfn a bod y rasys eithafol yma'n gwneud daioni. Ydyn, maen nhw'n dy chwalu di'n deilchion, ond wedyn maen nhw'n dy adeiladu di'n ôl i fyny yn gryfach ym mhob ffordd.

9

47 Copa

Brett Johns: "Mae'r poen o benderfynu stopio yn barhaol ac yn waeth na phoen corfforol." Mae'r enaid yn anoddach ei drwsio na'r corff.

Tachwedd 2018: Kendal Mountain Festival

AETH Y FFILM *Ar Gefn y Ddraig* yn ei blaen i ennill gwobrau yn rhai o wyliau ffilmiau antur mwyaf Prydain. Yn Kendal Mountain Festival, yr un fwyaf yn y byd, enillodd yr Audience Choice Award, y ffilm Gymraeg gyntaf i ennill unrhyw wobr yn yr ŵyl. Roedd hyn yn sioc, gan ei bod yn cystadlu yn erbyn ffilmiau mawr hefo timau anferth a chyllid di-ben-draw yn eu cefnogi. A dyma ni, dau ffrind hefo camera, dim sgript na stori, dim ond beth oedd yn digwydd go iawn. Doedd gan Huw ddim cyllid –

prosiect bach y tu allan i oriau gwaith oedd o i ddechrau. Felly mae lot o lwyddiant y ffilm yn glod i ddyfalbarhad Huw Erddyn a thîm Cwmni Da am roi ffydd yn y syniad ac am dreulio amser yn pwytho'r holl beth at ei gilydd. Pan dwi'n cael fy rhoi mewn sefyllfaoedd eithafol dwi'n dueddol o siarad fel melin bupur hollol anweddus (mwydro fflat owt, mewn geiriau eraill!). Roedd gan Huw Erddyn druan lot o waith i bysgota drwy'r holl fwydro, ac i sensro ambell beth fyddai wedi medru fy rhoi i yn y carchar! Mae'r ffilm ar Vimeo bellach i'w gwylio ar y we.

Mawrth 2019: Sgwrs yn Galeri, Caernarfon

Un o'r pethau mwyaf sgeri dwi erioed wedi ei wneud oedd bwcio theatr Galeri yng Nghaernarfon i drefnu noson yn dangos ffilmiau a trafod rhedeg eithafol. Fel toman o syniadau gwirion, dod o hyd iddo ar waelod gwydr peint wnes i. Dwi wedi sylwi dros y blynyddoedd fod meddwl dros unrhyw beth yn rhy hir yn ddim byd ond chwilio am esgus i beidio – i fod yn fabi.

Yn y byd cyflwyno teledu ac mewn nosweithiau fel hyn, mae pobol yn gyndyn i roi cyfle i berson dibrofiad. Ond ro'n i'n hyderus y byswn i'n medru gwneud joban dda drwy gadw at yr elfennau sylfaenol o weithio'n galed, dewis pwnc dwi'n frwdfrydig amdano, a bod mor onest ac mor wirion â phosib (#Nofilter). Do'n i ddim isio aros i rywun gynnig cyfle i fi, felly'n union fel y trip Mont Blanc flynyddoedd yn ôl, es i'n syth am y top a chreu cyfle fy hun. A dyna sut ffeindiais i fy hun yn cachu plancia ar ôl dod oddi ar y ffôn hefo Galeri – wedi bwcio theatr sy'n dal 300 o bobol a noson i'w threfnu!

Ro'n i ar bigau'r drain am fisoedd. Yn gyson ro'n i'n codi am bedwar y bore i baratoi cyn gwaith. Ambell waith ro'n i'n methu cysgu o gwbwl, neu'n aros yn effro drwy'r nos yn torri ffilmiau neu wneud ymchwil am y gwesteion. Yn union fel ymarfer corff, i unrhyw beth fod yn llwyddiant mae angen gweithio'n galed.

Ro'n i'n ddigon ffodus i nabod Billy Bland, un o'r rhedwyr mynydd gorau erioed, a dyma fo'n cytuno i roi sgwrs. Roedd o'n 72 oed ar y pryd ac yn dipyn o lejand. Braint oedd cael rhannu lifft i lawr o Ardal y Llynnoedd hefo Billy a Steve Birkinshaw, dau redwr o fri, ac ro'n i wrth fy modd yn gwrando ar eu straeon hurt ro'n i wedi bod yn darllen amdanyn nhw ers blynyddoedd.

Mi wnaeth y ddwy arwres Carol Morgan a Lowri Morgan ddŵad i gymryd rhan hefyd. Hefo gwesteion diddorol sydd wedi cyflawni pethau anhygoel, roedd y noson yn sicr o fod yn llwyddiant. Ar ben y sgwrsio dwi'n trio pwytho'r iaith Gymraeg i fewn i bob dim dwi'n ei wneud. Peth anodd iawn hefo gwesteion di-Gymraeg! Ond digwydd bod, roedd hi'n Ddydd Gŵyl Dewi, felly ges i gôr meibion Hogia Penrhos i agor y noson, gydag Anti Margaret ar y piano. Tra oedd y côr yn canu roedd ffilm o olygfeydd Eryri ar y sgrin fawr y tu ôl iddyn nhw.

Fel pob dim, y tro cyntaf rwyt ti'n gwneud rhywbeth mae yna bethau i'w dysgu ac i'w gwella. Roedd o'n waith caled a lot o bwysau ar fy sgwyddau ond yn y diwedd roedd yr holl ymdrech yn werth chweil. Roedd y noson yn llwyddiant ac, yn fwy na hynny, roedd o'n brofiad gwerthfawr iawn sydd wedi agor ambell ddrws i mi yn y byd cyflwyno a threfnu. Os oes gen ti'r hyder, dyro ffydd ynot ti dy hun.

Awst 2019: *47 Copa*

Sut ddiawl ges i gyfres deledu dwi ddim yn gwybod! Doedd hyn byth yn nod gen i. Ond pan welais i'r cyfle mi weithiais yn galed i'w wireddu. O'r tu allan ella bod y pethau dwi'n gwneud yn edrych fel damwain llwyr, fatha hwylio drwy fywyd o un peth i'r llall a mynd lle bynnag mae'r gwynt yn chwythu. Yn groes i hyn, dwi'n teimlo'n raddol dros y blynyddoedd 'mod i wedi tynhau'r gafael ar y llyw wrth ddilyn llwybr bywyd. Dwi wedi deall bod mwy na thynged yn rheoli pethau. Dwi'n dewis pryd dwi'n troi'r llyw at unrhyw gyfle. Mewn ffordd, yr injan ar y cwch bach simsan yma ydi'r egni sydd yn rheoli'r cyfan. Mae yna lot o hwyl a phrofiadau gwerthfawr wedi deillio trwy ddeall bod modd cerfio'ch tynged eich hun i ryw raddau.

Am brofiad! Y syniad y tu ôl i'r rhaglen oedd rhoi elfennau dycnwch (*endurance*) dan y chwyddwydr – poen, dyfalbarhad, ofn, a'r cydbwysedd rhwng llwyddo a methu. Ro'n i'n mynd i gyfweld â phencampwyr mewn gwahanol feysydd – o'r cwffiwr cawell Brett Johns i'r beiciwr mynydd Ems Davies – i weld oedd ganddyn nhw unrhyw wersi i'm helpu i drwy fy her fy hun ar ddiwedd y gyfres, sef y rownd fynyddig yn Eryri o'r enw Paddy Buckley (PB).

Mae'r PB yn her rhedeg mynydd 106km dros 47 o gopaon Eryri, gan ddringo 8,700m, bron cymaint ag Everest, mewn un diwrnod! Dyma un o'r heriau anoddaf ym Mhrydain, os nad y byd – ro'n i'n gwthio ffiniau fy ngallu go iawn. Felly'r peth olaf ro'n i angen oedd y storm fwyaf dwi erioed wedi bod yn ddigon gwirion i fynd allan ynddi, wnaeth daro gyda deg awr o redeg ar ôl! Dwi'n cofio digalonni'n llwyr wrth weld rhagolygon y tywydd y diwrnod cyn dechrau. Sbiais ar Huw Erddyn (y cyfarwyddwr) ac roedd gan hwnnw wên fawr ar ei wyneb – gwynt 60 milltir yr awr a glaw monsŵn, byddai'n gwneud teledu da!

Mae'r gyfres bellach wedi bod ar S4C ac mi fydd fersiwn ffilm ar y we cyn bo hir, felly wna i ddim dweud beth ddigwyddodd.

Gwyddoniaeth

Un o'r pethau mwyaf diddorol i fi oedd yr holl brofion corfforol a meddyliol. Ro'n i'n gweithio gyda Phrifysgol Caergrawnt a Phrifysgol Bangor i wneud toman o brofion, a dwi wedi darganfod pethau amdana i fy hun fyddai'n amhosib heb y gyfres. Mae fy lefel VO2 Max, sydd yn dangos faint o ocsigen mae'r corff yn medru ei gymryd i fewn, yn 64mL/kg/min sydd yn uchel iawn – ar lefel Olympaidd oedd y disgrifiad (o'n i'n dechrau amau fod y peiriant wedi torri!). Mae fy nghuriad calon wrth orffwys rhwng 35 a 37 curiad bob munud, sydd yn isel iawn. Mae'r ddau'n pwyntio at system gardiofasgiwlar gryf, sydd yn siwtio unrhyw fath o ymarfer corff dros tua 10 eiliad.

Ond wedi dweud hynny mae angen tipyn o injan i lusgo 'nghasgen i o gwmpas. Jyst cyn ras 250km, dros bum diwrnod yn Sri Lanka yn mis Ebrill 2019, dyma Dr Danny Longman o Brifysgol Caergrawnt yn gwneud ambell brawf arna i. Cefais brawf braster ac roedd fy lefelau braster o 18% ymhlith y rhai uchaf yn y ras. Dydi hyn ddim yn uchel i berson arferol ond roedd o dipyn uwch na'r cyfartaledd i'r athletwyr yn y ras yma, oedd rhwng 6% a 13%. Doedd y canlyniad ddim yn sioc i fi ac mae o bron yn rhywbeth dwi'n eitha balch ohono a dweud y gwir – prawf 'mod i'n mwynhau bywyd, a bwyd! Ro'n i'n 12fed yn y ras a gorffennais o flaen cryn dipyn o'r llinynnau trôns oedd o 'nghwmpas. "Fastest fatty!" ddywedodd rhywun amdana i. Swnio'n iawn i fi!

Un peth hollol annisgwyl oedd ffeindio bod fy lefelau testosteron yn gostwng tipyn mwy na'r person arferol, i'r graddau 'mod i'n dueddol o fyta i mewn i 'nghyhyrau! Felly, mewn gwirionedd, dydi fy nghorff i ddim wedi'i adeiladu ar gyfer rasys hir amlddiwrnod dros gannoedd o filltiroedd. Rhyw 800m 'swn i'n feddwl dwi i fod i'w wneud! Roedd hyn yn rhywbeth ro'n i wedi'i amau ers i fi ddechrau gwneud y rasys hir yma, ond roedd o'n dal yn beth annifyr i'w ddarganfod amdanaf fy hun.

Yr unig fendith oedd bod fy meddwl yn gwneud iawn am wendidau fy nghorff yn y rasys hir yma. Dyma fy lefelau cortisol (*stress hormone*) yn gostwng o 0.2511 g/dl cyn dechrau i 0.2197 g/dl ar ddiwedd cymal

4, cymal anoddaf y ras. Roedd Dr Danny wedi'i syfrdanu gan hyn. Roedd o'n groes i bob un o'r athletwyr roedd o erioed wedi'i brofi. Roedd y sampl yma'n eang iawn – 46 o athletwyr o bob rhan o'r byd oedd yn cymryd rhan mewn rasys pump diwrnod eithafol. Y tueddiad ydi i lefelau cortisol godi'n sylweddol mewn heriau fel hyn, am resymau amlwg. Ond mae fy lefelau i'n mynd y ffordd arall! Prawf 'mod i ddim yn hapus yn sefyll yn llonydd!

Mae ambell fudd i ymlacio mewn sefyllfaoedd eithafol – cadw'r pen a'r meddwl yn glir, a helpu'r corff i drwsio ei hun. I fi mae hyn yn gwrthweithio'r gostyngiad mewn testosteron. Cyrhaeddais hefyd y lefel uchaf bosib yn y prawf profi poen – dim ond canran fach o ymgeiswyr sy'n gwneud hynny.

Ac un syrpréis arall oedd y profion datrys problemau a gweithredu gwybyddol (*cognitive function*). Ar gyfartaledd mae gallu pobol i feddwl yn sydyn ac i ddatrys problemau yn gwella hefo unrhyw ymarfer corff. Mae'n ffaith ddiddorol ac yn dangos pwysigrwydd cadw'n heini ac ymarfer yn gyson. Mae fy ngallu i wneud penderfyniadau a datrys problemau mewn sefyllfaoedd anodd ar dop rhestr yr holl bobol roedd Dr Danny wedi'u profi. Mae hyn yn cefnogi be ro'n i'n ei feddwl eisoes, sef bod dyslecsia yn fendith mewn lot o ffyrdd – mae'n gorfodi rhywun i fod yn greadigol ac i ddatrys problemau newydd mewn ffyrdd gwahanol i'r mwyafrif ac o oed ifanc iawn... Ond mae o'n dal yn boen yn tin pan ti'n trio sgwennu llyfr!

10

Gwersi caled

Un o'r pethau mwyaf gwerthfawr ddaeth o'r rhaglen *47 Copa* oedd cael cyfweld ag wyth o bobol ryfeddol, sydd wedi cyflawni pethau syfrdanol yn eu meysydd gwahanol. Pwysigrwydd cryfder meddyliol oedd y neges gyson, yn enwedig pwysigrwydd yr holl elfennau dycnwch a sut maen nhw i gyd yn pwytho i'w gilydd ac yn dibynnu ar ei gilydd. Poen, ofn, llwyddo, methu ac aberthu. Yr un stori mewn gwisg wahanol ro'n i'n ei chlywed gan y pencampwyr yma.

Heb ofni rhywbeth, dwyt ti ddim yn ei barchu. Os nad wyt ti'n parchu'r her sydd o dy flaen, wnei di ddim rhoi digon o ymdrech i baratoi.

Ond dwi'n sbio ar y sefyllfa yn wahanol, yn enwedig ers i fi fynd yn hŷn, yn enwedig ers gorffen rasys triathlon. Roedd y rhan fwyaf o'r bobol wnes i eu cyfarfod yn mynd allan er mwyn ennill. Dwi, ar y llaw arall, yn mynd allan i wneud y mwyaf o fywyd ac i fwynhau. Ydw, dwi isio bod yn llwyddiannus ond dydi o ddim yng nghanol pob dim. Ers y dyddiau rygbi fel corrach bach mewn cae llawn cewri, a gwaith cartref llenyddiaeth Gymraeg, dwi wedi hen arfer methu. Do, dwi wedi ennill ambell ras bellach ond ro'n i'n 26 oed pan enillais fy ras gyntaf, sef Triathlon Llanc y Tywod, Ynys Môn, yn 2011, ac roedd hyn wedi cymryd pymtheg mlynedd o ddyfalbarhau i fy nghorff i ddal i fyny hefo fy mhen i.

Hyd yn oed ar ôl i mi ddechrau ennill, wnaeth o ddim newid fy meddylfryd. Roedd o'n deimlad neis ond ddim yn hanfodol. Yn y ddwy flynedd ar ôl y ras gyntaf honno, es i ymlaen i ennill naw triathlon. Do'n i'n dal ddim yn cymryd yr holl beth o ddifri go iawn. Do'n i byth am fod yn un o oreuon y byd – mae gormod o fwynhad i'w gael. Dwyn amser oedd fy agwedd tuag at ymarfer – ar y ffordd i lefydd, seiclo i'r gwaith, *press-ups* amser egwyl hefo panad, a *gym* am 20 munud amser cinio. Ro'n i'n trio peidio mynd heibio i bwll nofio heb fynd i mewn am 30 munud bach. Ymarfer yn synhwyrol ac yn gryno gan roi 110% ym mhob sesiwn. A do'n i byth yn gwario pres gwirion ar offer – roedd well gen i ddefnyddio'r arian i fynd ar wyliau anturus. Ar ôl ennill cyfres sbrint Camu i'r Copa am yr ail flwyddyn yn olynol mi wnes i roi'r gorau i driathlon. Roedd cymaint mwy o gampau a phrofiadau eraill allan yna.

Dwi'n meddwl bod pwynt yn cyrraedd lle rwyt ti isio rhywbeth gormod. Mae aberthu gormod yn gallu bod yn rhwystr gan arwain at golli elfennau eraill o fywyd, fel cael peint a bwyd neis, ac amser hefo teulu a ffrindiau. Drwy gadw'r ddesgil yn wastad a'r ymennydd yn hapus mae o wedi fy ngalluogi i bwytho ymarfer corff caled i fewn i fy mywyd mewn ffordd gynaladwy. Mae hyn yn meddwl 'mod i fwy neu lai'n barod am unrhyw beth, unrhyw bryd, i fynd am heriau anodd munud olaf, fel ennill lle, gyda dau ddiwrnod i sbario, yn ras y Pioneer, dros 560km o fynyddoedd Seland Newydd. Drwy benderfynu gwneud heriau hurt bost ar y funud olaf, buan iawn rwyt ti'n arfer hefo bod allan o dy *comfort zone*, ac ar ben hyn does yna ddim gymaint o aberth, dim poeni, dim stres... *win win*! Os ti'n llwyddo, grêt, ti'n arwr, wedi gorffen 'ras anodda'r byd' ar ôl ddau ddiwrnod o ymarfer! Waw! Ond hyd yn oed os dwyt ti ddim yn llwyddo, DIM OTS!! Mae'n berffaith iawn, doedd neb yn disgwyl i fi orffen un o rasys seiclo mynydd anodda'r byd heb brofiad nac ymarfer, ond ar ddiwedd y dydd ro'n i'n gwybod fod trio yn mynd i wneud daioni. Mae trio yn dy wneud di'n fwy profiadol ac yn gryfach yn feddyliol ac yn gorfforol. Digwydd bod, mi orffennais y ras ond hyd yn oed os taswn i heb, byswn i mewn lle gwell i lwyddo tro nesa.

Gofynnodd rhywun o'n i'n falch ohona i'n hun am orffen y Paddy Buckley. Ro'n i'n hapus, yn bendant, ac yn ddiolchgar i bawb wnaeth helpu, ond do'n i ddim yn falch ohona i'n hun. Mae balchder yn beryglus, ac yn achosi i rywun eistedd yn ôl a sbio dros ei ysgwydd yn lle sbio 'mlaen at y dyfodol... Na, ddim balch o orffen ond balch o gychwyn. Y cam cyntaf wastad ydi'r un anoddaf ond, mewn gwirionedd, dyna'r unig un sydd yn cyfri. Ar ôl cychwyn, ar yr amod 'mod i'n rhoi 110%, does dim ots ydw i'n llwyddiannus neu beidio.

Mae'r 0.1% sydd ar frig unrhyw gamp yn gorfod arbenigo, bod yn berson arbennig sydd â'r dyfalbarhad a'r cryfder meddyliol a'r genynnau iawn. Cyfuniad prin. Mae arbenigo yn creu corff gwych mewn un maes ond un maes yn unig. Mae'n culhau opsiynau. Rhowch raw i redwr marathon a byddwch chi'n disgwyl blynyddoedd am dwll; yn yr un ffordd, gofynnwch i reslwr Sumo neu *body builder* fynd i ben yr Wyddfa a bydd o, fwy na thebyg, yn gorfod dal y trên! Pan wyt ti'n cyrraedd dy ugeiniau cynnar dwi'n meddwl bod gen ti syniad go lew wyt ti am fod yn un o'r 0.1% yma, ac os ddim, beth ydi'r pwynt arbenigo? Y cwbwl mae hyn yn ei wneud ydi creu corff sydd ddim mor ddefnyddiol.

Dyma pam es i fyth i'r byd triathlon yn iawn. I gystadlu hefo'r goreuon yn y maes yma mae angen bod yn ysgafn. Dwi'n 5' 8" a bron yn 12 stôn a dwi'n methu'n glir â newid hyn. I ddechrau wnes i drio colli pwysau, ond roedd yn anodd iawn. Roedd effaith rygbi ar fy nghorff yn golygu 'mod i'n cario pwysau hollol ddiwerth yn y byd triathlon (yn cynnwys tua stôn o flew cefn!). Ond do'n i byth wir isio gollwng gafael ar y cryfder roedd rygbi wedi'i roi i mi, gan ei fod o'n ddefnyddiol mewn bywyd bob dydd. Dwi erioed wedi stopio codi pwysau ers pan o'n i'n 16 oed a dwi'n grediniol fod hyn wedi 'ngalluogi i i newid campau a dysgu campau newydd yn sydyn – o gaiacio i Cumberland Wrestling i seiclo mynydd. Maen nhw i gyd yn dibynnu ar symud egni o amgylch y corff ac mae hynny'n gofyn am gyhyrau (yn enwedig carn) cryf. Ar ben hyn dwi'n dechrau gweld ei fod o'n helpu mewn rasys *endurance* hir, yn enwedig os ydi'r tywydd yn ddrwg. Mae cyhyrau fatha batris o egni. Yndyn, maen nhw'n boen yn tin i'w llusgo i fyny mynydd ond maen nhw'n helpu ar y ffordd i lawr. Maen nhw hefyd yn helpu dycnwch corfforol ac, yn gyffredinol, i osgoi anafiadau. Dwi'n meddwl bod chwarae ar gryfderau dy gorff yn bwysig a pheidio trio'i droi'n rhywbeth dydi o ddim. Gadael i ful fod yn ful, a ddim trio rhoi perm iddo a *bleech*o'i ffwr a'i droi'n ddafad. Neith o joban well fatha mul!

11

Does dim byd i'w golli

RO'N I'N DEALL BOD prifysgol yn bwysig ac mi roddais i 100%. Ond roedd darn mawr ohona i'n gwaredu gorfod astudio mor galed am gyfnod mor hir ac aberthu gymaint. Ond rŵan dwi'n gweld y gwerth ac yn ddiolchgar iawn fy mod i wedi bod yn ddigon ffodus i fynd i brifysgol. Mae gradd yn para am byth, yn rhywbeth fedra i ddisgyn yn ôl arno i wneud bywoliaeth. Sylfaen bywyd heb *sell-by date*. Mae o fel rhwyd ddiogelwch sydd wedi rhoi leisans i fi drio pethau sydd yn llawn risg. Ond dwi'n grediniol fod y system addysg yn canolbwyntio lot gormod ar yr ymennydd – mae datblygu'r corff yr un mor bwysig. Fel rheol mae *sell-by date* dy ymennydd yn lot hirach nag un dy gorff. Felly dwi'n meddwl ei bod hi'n hollol hanfodol datblygu a gwneud y mwyaf o dy gorff yn gyntaf ac wedyn datblygu'r meddwl, a phoeni am yrfa.

Ar ôl pum mlynedd yn astudio cwrs Meistr mewn Peirianneg, ro'n i'n dechrau teimlo'n aflonydd. Roedd fy ffrindiau i gyd ar dân i ddechrau ar eu gyrfaoedd. Ro'n i'n sâl o fod yn eistedd y tu fewn, yn aberthu gwyliau'r Nadolig a thywydd braf yr haf i baratoi at arholiadau. Ro'n i'n berwi hefo egni ac ro'n i angen gwneud rhywbeth hefo fo cyn meddwl am yrfa. Mi wnes i addo i'n hun 'mod i am ddatblygu 'nghorff am sbelan a gadael fy ymennydd tan wedyn. A sbio'n ôl, roedd hwn yn benderfyniad pwysig. O fewn tair blynedd ro'n i wedi cymryd mantais o grant y Bartneriaeth Awyr Agored ac wedi cymhwyso fel Arweinydd Mynydd, wedi cynrychioli Prydain ym Mhencampwriaeth Triathlon y Byd ac wedi bod i dop Mont Blanc!

Mae un digwyddiad yn tanlinellu hyn i mi. Tra o'n i'n trio 'ngora glas i aros yn fyw yng ngheunant Waimakariri, yn dysgu caiacio yn Seland Newydd, roedd yna foi hŷn ar yr un cwrs caiacio â fi. Roedd y ddau ohonan ni yn yr un cwch o ran ein bod ni

wedi penderfynu rhoi cynnig arni ar y funud
olaf ac yn trio pasio ein cwrs gradd 2 caiacio
dŵr gwyn hefo llai na phedair wythnos tan
ras y Coast to Coast. Roedd ganddo'r offer
i gyd a thoman o bres, ac roedd o'n foi ffit
ac eithaf profiadol, yn ei bumdegau bellach.
Roedd o wedi dŵad draw yn benodol ar
gyfer y ras yma. "I wish I'd have done this 20
years ago," meddai, ar ôl y diwrnod cyntaf o
ymarfer brwnt, gyda golwg bell, ofnus yn ei
lygaid, yn syllu i fyny'r ceunant ffyrnig. Ofn
ei fod o dros y dibyn oedd hyn? Os doedd o
ddim yn llwyddo'r tro yma pa obaith fyddai
y flwyddyn nesa pan fyddai o hyd yn oed yn
hŷn?

Bedair awr i fewn i'r cymal caiacio ar
ddiwrnod y ras, ro'n i mewn brwydr. Roedd
y tanc egni yn hollol wag, duw a ŵyr sut ro'n
i'n dal yn fy nghwch. Dwi'n cofio dechrau
rhegi fatha peth gwirion ar y cwch modur
yma'n fflio heibio a bron â 'nhaflu allan o'r
caiac. Wnes i ddal fy nhafod ar ôl sylweddoli
mai'r cwch achub oedd o. Ugain munud yn
ddiweddarach daeth y cwch yn ôl. Pwy oedd
ynddo ond y dyn o'r ymarfer, yn syllu'n ôl o
gefn y cwch. A'r foment honno, yng nghanol

dŵr ffyrnig ceunant Waimakariri, wnaeth pwysigrwydd y wers yna 'nharo fi fatha tunnell o frics. Mi wnes i addo i fi'n hun unwaith eto 'mod i am wneud y mwyaf o fod yn ifanc. Yn ifanc does dim byd i'w golli – os ti ddim yn llwyddo'r tro cyntaf, fyddi di'n gryfach ym mhob ffordd y tro nesa.

Dwi'n meddwl bod lot o bwysau ar bobol ifanc i feddwl am yrfa ac i drio gwneud pres; ac yn groes i hyn mae gan bobol hen, a doeth, sydd â'r swyddi a'r pres obsesiwn hefo profiadau a gwthio'u cyrff... OND mae'n rhy hwyr i gael atebion iawn am dy gorff pan wyt ti'n hen. Ar ddiwedd y dydd, yr unig fath o gyfoeth sydd yn bwysig ydi profiadau a iechyd ac felly mae pŵer ac egni corff ifanc yn amhrisiadwy. Mae mor bwysig peidio gwastraffu'r rhodd fwyaf rydyn ni'n ei chael ar y ddaear yma, sef y corff. Does neb yn gwybod faint sydd tan y gadair siglo, mewn gwirionedd; mae yna bosibilrwydd ei bod hi rownd y gornel i ni i gyd ac felly mae'n ras hefo amser i wneud y mwyaf o bethau. Ras, gyda llaw, sydd yn amhosib ei hennill! Ond mae'n bwysig sylweddoli'ch bod chi wedi rhoi'ch enw i lawr am y ras yma heb ddewis;

ac wedyn mynd iddi'n galad a rhoi cynnig go lew arni. A dwi'n gwybod 'mod i wedi ailadrodd "ras anoddaf fy mywyd" nifer o weithiau yn y llyfr yma, ond dyna ydi'r pwynt. Mae dal angen gwthio'r ffiniau.

Ers i fi ddechrau gwneud y pethau 'gwirion' yma dwi wedi gorfod ateb un cwestiwn drosodd a throsodd – "Pam?! Pam ddiawl ti'n neud y petha gwirion yma, Huw?!" Mae'n gwestiwn lot mwy cymhleth na "Sut?" gan fod yna doman o resymau a'r rheini mor bersonol ac yn wahanol i bawb. Mae yna lot o resymau arwynebol – haeddu peint, cadw'n heini, trio ennill... Ond, i fi, mae yna un rheswm yn tanlinellu pob dim – mae bywyd yn rhy fyr i beidio. Un cyfle sydd gynnon ni ar y blaned yma, felly unwaith mae cyfle yn dangos ei wyneb mae angen gafael ynddo'n dynn.

Y tro nesa rydych chi'n clywed eich hun yn dweud "Na", "Ella fory", "Dim tro 'ma", "Dwi'n methu neud hynna, does dim profiad gen i", "Dwi ddim digon ffit", "Dwi'n methu caiacio a does gen i ddim cwch!", stopiwch, cymerwch gam yn ôl ac ewch i ofyn i'r hen ddyn, neu ddynas, yn y gadair siglo. Ella fydd gan y person yna ateb gwahanol, a byswn i'n meddwl mai "Iddi'n galad y munud 'ma!" fydd hynny.